barcos

Bandera pirata

Balsa de juncos suramericana

Balandra de los canales de Holanda (siglo XIX)

Rueda de gobierno

Embarcación de pesca portuguesa en «media luna»

Despedida del marinero. Porcelana de Delft (siglo XVIII)

BIBLIOTECA VISUAL ALTEA

barcos

por

Eric Kentley

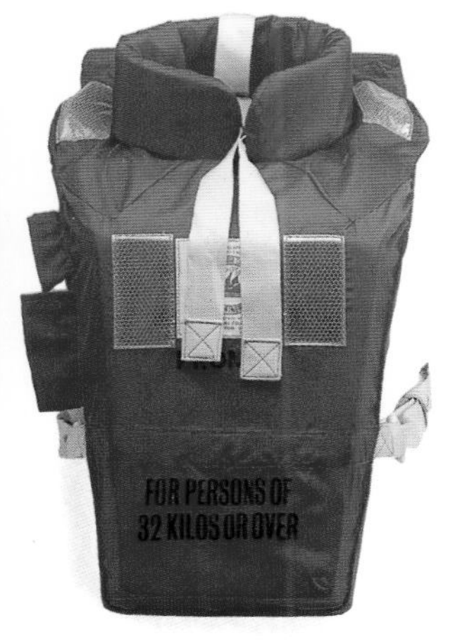

Chaleco salvavidas

Campana de a bordo

Junco chino de Fucheu

Vapor de pozos

Plato conmemorativo de una botadura

Bric-barca embotellado

ALTEA

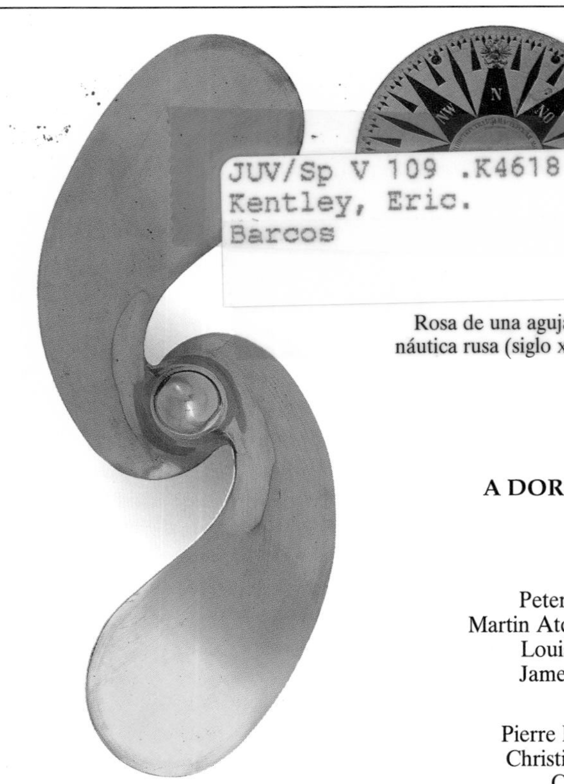

Rosa de una aguja náutica rusa (siglo XIX)

Hélice de embarcación fluvial

Mascarón francés

DK

A DORLING KINDERSLEY BOOK

Traducido por Juan Génova Sotil.

Título original: Eyewitness Encyclopedia.
Volume 36: Boat.

Publicado originalmente en 1992 en Gran Bretaña
por Dorling Kindersley Limited, 9 Henrietta St.,
London WC2E 8PS,

y en Francia por Éditions Gallimard, 5 rue Sébastien
Bottin, 75008 Paris.

© 1992, Altea, Taurus, Alfaguara, S. A.,
de la presente edición en lengua española.
Elfo, 32. 28027 Madrid.
ISBN: 84-372-3769-6.

© Aguilar, Altea, Taurus, Alfaguara, S. A. de C. V.
Av. Universidad 767 - Col. del Valle,
México 03100 D.F. - Tel. 688-8966.
ISBN: 968-19-0163-0.

Este libro se terminó de imprimir en enero de 1993
en los talleres de Toppan Printing Co., Singapur.
Se tiraron 8,000 ejemplares.

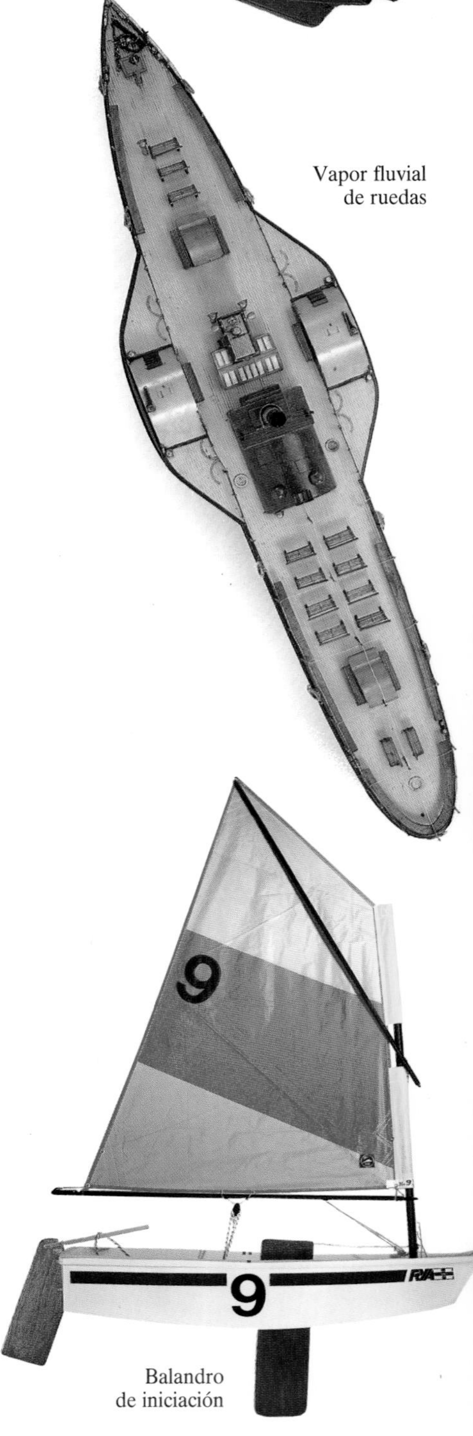

Vapor fluvial de ruedas

Balandro de iniciación

Guardiamarina con sextante (muestra de tienda)

Sumario

Bergantín de cuatro palos

Hacerse a la mar

EXPLORAR, VIAJAR, comerciar, pescar, luchar y hasta placer: estos son los motivos por los que la gente se hace a la mar. Durante miles de años se han ido desarrollando los medios para que moverse en el agua sea más fácil, seguro y rápido. Las primeras embarcaciones fueron sólo balsas y flotadores hasta que se inventó un recipiente, probablemente un tronco ahuecado, que fue el primer barco, hallazgo tan importante como el de la rueda. Los barcos de madera, que aún pueden verse por todo el mundo, son los antecesores de los grandes veleros y de los grandes buques de carga actuales. Hay centenares de tipos de barcos y buques construidos con toda clase de materiales, desde juncos y cañas, pieles de animales, plástico, fibra de vidrio, hasta el hierro y el acero.

El asirio de la figura flota literalmente sobre aire: cabalga un pellejo que, inflado, se convierte en un sencillo flotador. Hace más de 2.600 años los asirios usaron balsas de troncos, embarcaciones de pieles y odres como éste para pescar, cruzar los ríos y transportar madera.

Se llama buque generalmente a los barcos grandes. Un velero como éste va aparejado de fragata, pero el *Kruzenshtern* (págs. 24-25), cuyo cuarto palo (mesana) sólo lleva velas de cuchillo, recibe el nombre de bric-barca o barca.

Tal vez un tronco flotante pudo sugerir a alguien, hace milenios, la idea de usarlo como primer vehículo acuático. Este muchacho se mantiene en pie empujando con una pértiga contra el fondo (fincando), pero a menos que el agua esté muy tranquila, el tronco rodará y le hará caer: hay que hacerlo estable uniéndolo a otro para hacer una balsa, o ahuecándolo para construir una canoa, que será más estable al quedar más bajo el peso del tripulante.

Barco es término general, buque se aplica más precisamente al grande, que tiene una o más cubiertas y es apto para navegar en alta mar. La de la figura es una lancha para transportar personas y carga entre un buque y tierra. Está construida con tablas de madera, aunque pueden serlo con cualquier material capaz de formar un casco cóncavo.

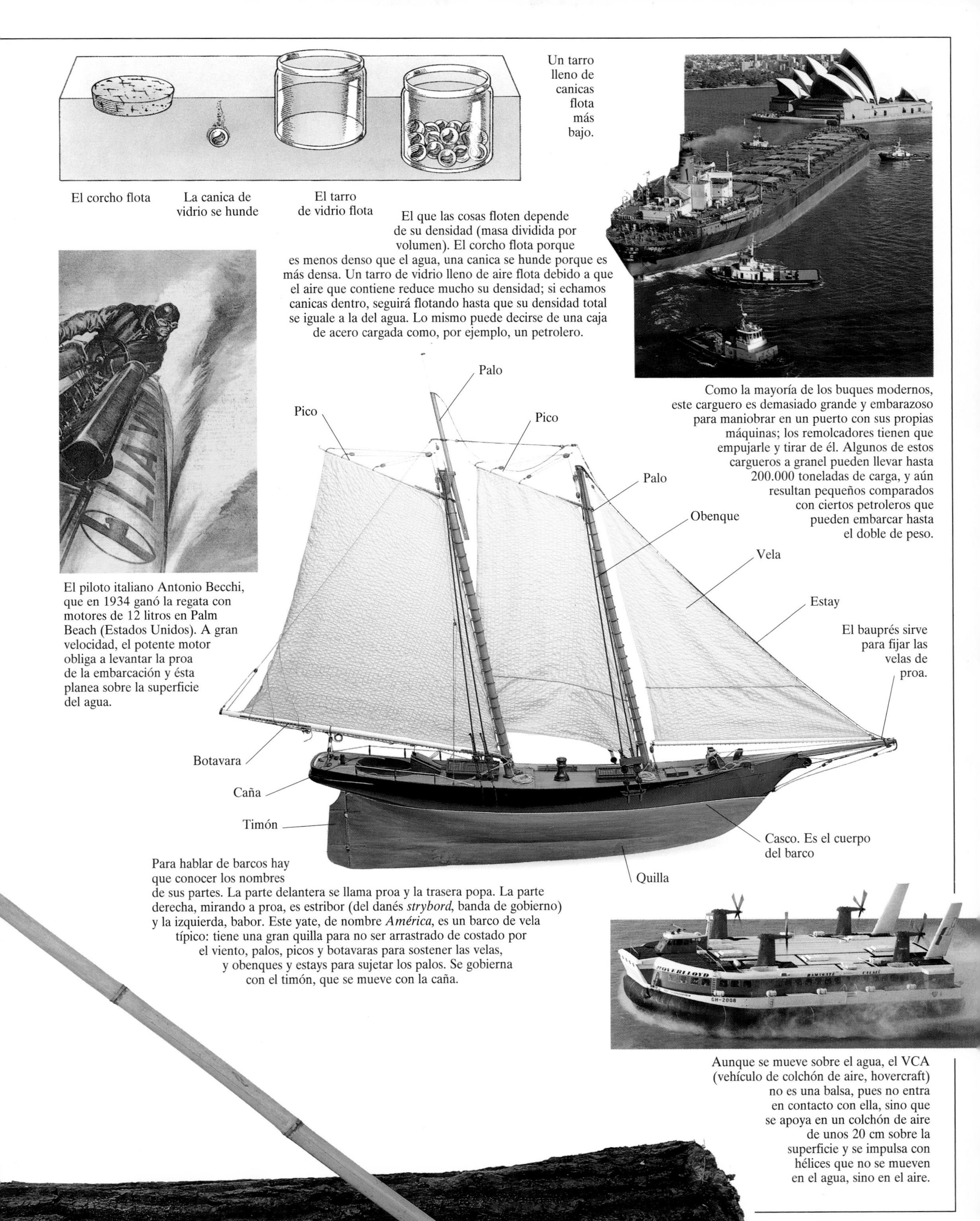

Un tarro lleno de canicas flota más bajo.

El corcho flota

La canica de vidrio se hunde

El tarro de vidrio flota

El que las cosas floten depende de su densidad (masa dividida por volumen). El corcho flota porque es menos denso que el agua, una canica se hunde porque es más densa. Un tarro de vidrio lleno de aire flota debido a que el aire que contiene reduce mucho su densidad; si echamos canicas dentro, seguirá flotando hasta que su densidad total se iguale a la del agua. Lo mismo puede decirse de una caja de acero cargada como, por ejemplo, un petrolero.

Como la mayoría de los buques modernos, este carguero es demasiado grande y embarazoso para maniobrar en un puerto con sus propias máquinas; los remolcadores tienen que empujarle y tirar de él. Algunos de estos cargueros a granel pueden llevar hasta 200.000 toneladas de carga, y aún resultan pequeños comparados con ciertos petroleros que pueden embarcar hasta el doble de peso.

El piloto italiano Antonio Becchi, que en 1934 ganó la regata con motores de 12 litros en Palm Beach (Estados Unidos). A gran velocidad, el potente motor obliga a levantar la proa de la embarcación y ésta planea sobre la superficie del agua.

El bauprés sirve para fijar las velas de proa.

Para hablar de barcos hay que conocer los nombres de sus partes. La parte delantera se llama proa y la trasera popa. La parte derecha, mirando a proa, es estribor (del danés *strybord*, banda de gobierno) y la izquierda, babor. Este yate, de nombre *América*, es un barco de vela típico: tiene una gran quilla para no ser arrastrado de costado por el viento, palos, picos y botavaras para sostener las velas, y obenques y estays para sujetar los palos. Se gobierna con el timón, que se mueve con la caña.

Aunque se mueve sobre el agua, el VCA (vehículo de colchón de aire, hovercraft) no es una balsa, pues no entra en contacto con ella, sino que se apoya en un colchón de aire de unos 20 cm sobre la superficie y se impulsa con hélices que no se mueven en el agua, sino en el aire.

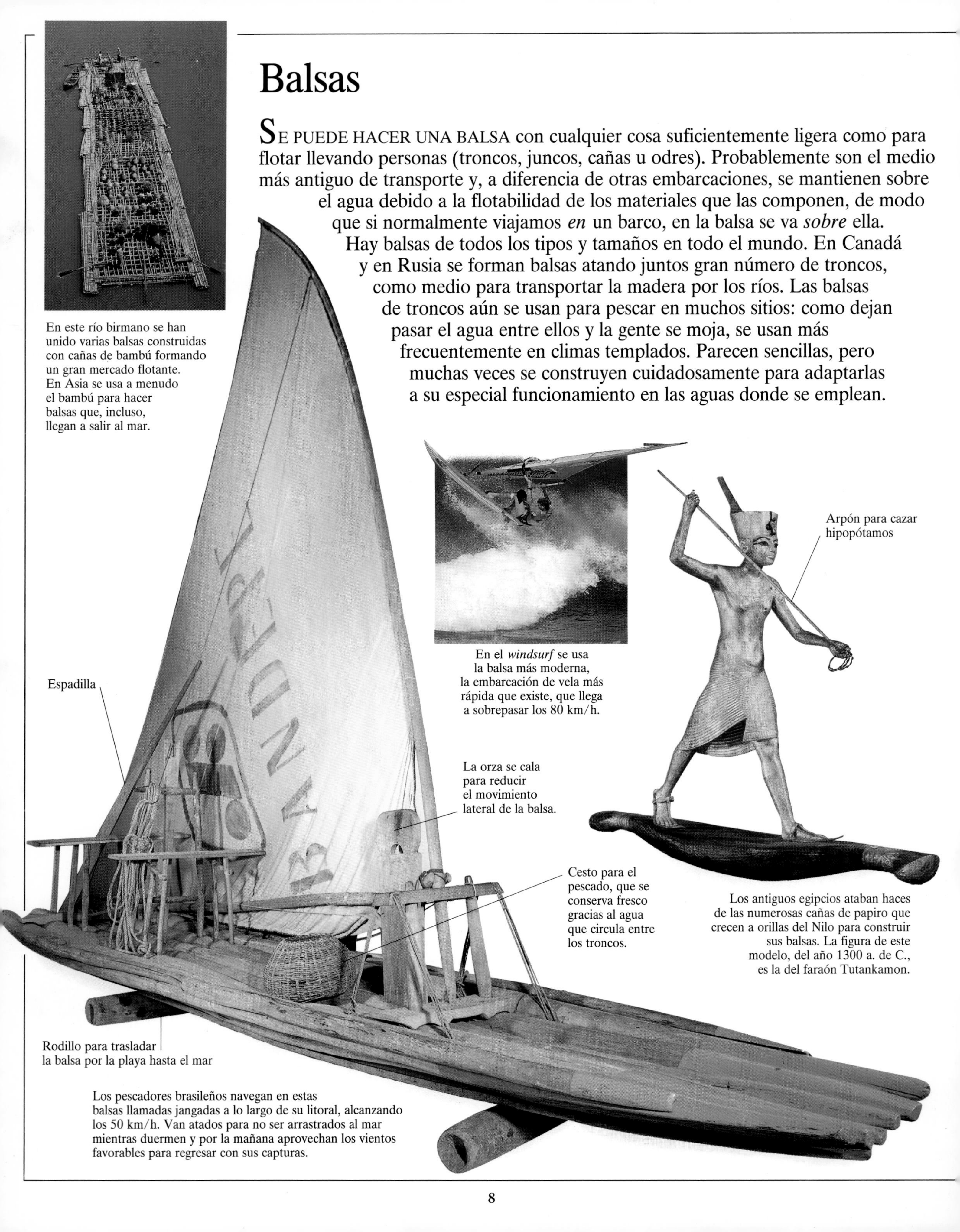

Balsas

SE PUEDE HACER UNA BALSA con cualquier cosa suficientemente ligera como para flotar llevando personas (troncos, juncos, cañas u odres). Probablemente son el medio más antiguo de transporte y, a diferencia de otras embarcaciones, se mantienen sobre el agua debido a la flotabilidad de los materiales que las componen, de modo que si normalmente viajamos *en* un barco, en la balsa se va *sobre* ella. Hay balsas de todos los tipos y tamaños en todo el mundo. En Canadá y en Rusia se forman balsas atando juntos gran número de troncos, como medio para transportar la madera por los ríos. Las balsas de troncos aún se usan para pescar en muchos sitios: como dejan pasar el agua entre ellos y la gente se moja, se usan más frecuentemente en climas templados. Parecen sencillas, pero muchas veces se construyen cuidadosamente para adaptarlas a su especial funcionamiento en las aguas donde se emplean.

En este río birmano se han unido varias balsas construidas con cañas de bambú formando un gran mercado flotante. En Asia se usa a menudo el bambú para hacer balsas que, incluso, llegan a salir al mar.

En el *windsurf* se usa la balsa más moderna, la embarcación de vela más rápida que existe, que llega a sobrepasar los 80 km/h.

Arpón para cazar hipopótamos

Los antiguos egipcios ataban haces de las numerosas cañas de papiro que crecen a orillas del Nilo para construir sus balsas. La figura de este modelo, del año 1300 a. de C., es la del faraón Tutankamon.

Espadilla

La orza se cala para reducir el movimiento lateral de la balsa.

Cesto para el pescado, que se conserva fresco gracias al agua que circula entre los troncos.

Rodillo para trasladar la balsa por la playa hasta el mar

Los pescadores brasileños navegan en estas balsas llamadas jangadas a lo largo de su litoral, alcanzando los 50 km/h. Van atados para no ser arrastrados al mar mientras duermen y por la mañana aprovechan los vientos favorables para regresar con sus capturas.

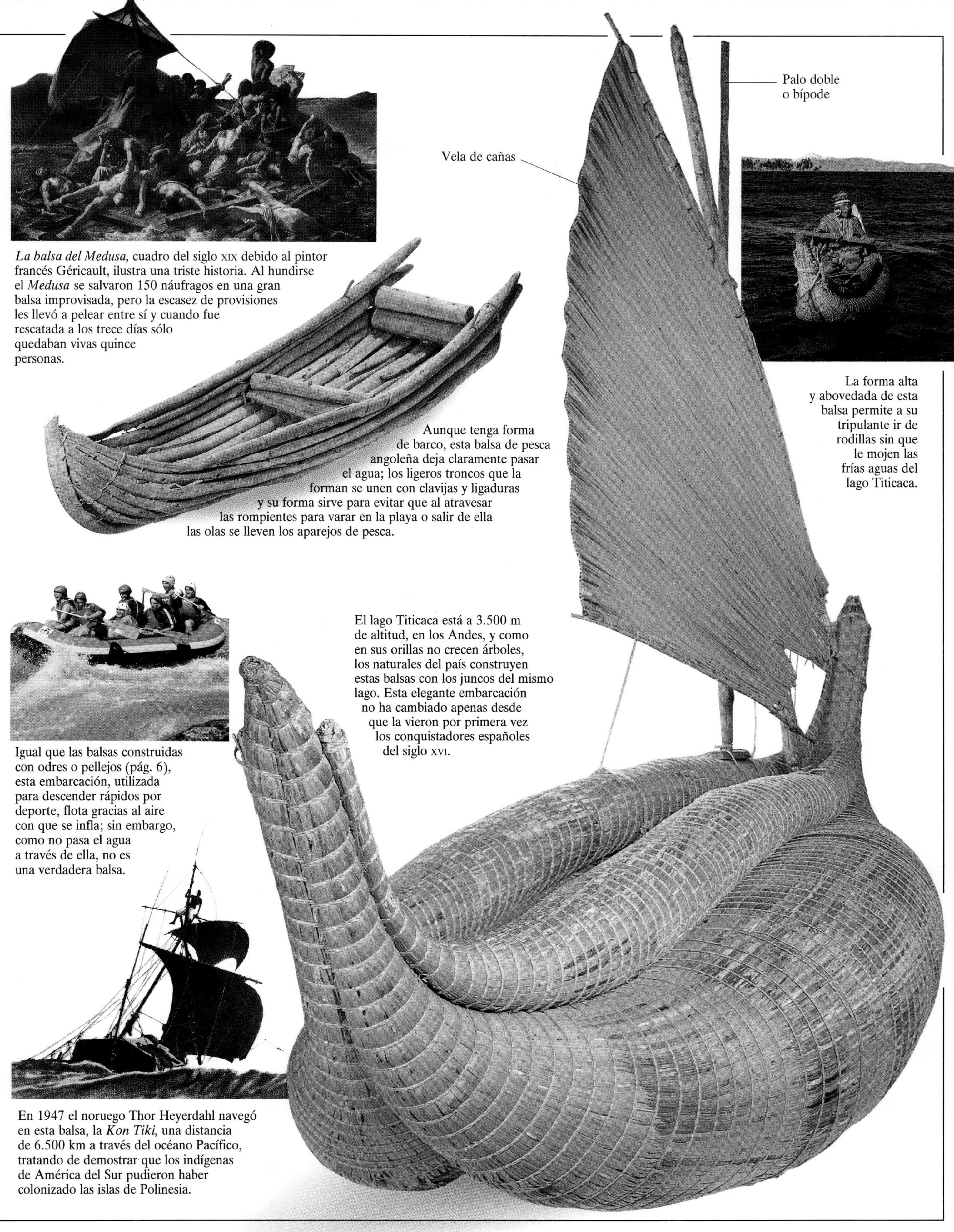

La balsa del Medusa, cuadro del siglo XIX debido al pintor francés Géricault, ilustra una triste historia. Al hundirse el *Medusa* se salvaron 150 náufragos en una gran balsa improvisada, pero la escasez de provisiones les llevó a pelear entre sí y cuando fue rescatada a los trece días sólo quedaban vivas quince personas.

La forma alta y abovedada de esta balsa permite a su tripulante ir de rodillas sin que le mojen las frías aguas del lago Titicaca.

Aunque tenga forma de barco, esta balsa de pesca angoleña deja claramente pasar el agua; los ligeros troncos que la forman se unen con clavijas y ligaduras y su forma sirve para evitar que al atravesar las rompientes para varar en la playa o salir de ella las olas se lleven los aparejos de pesca.

El lago Titicaca está a 3.500 m de altitud, en los Andes, y como en sus orillas no crecen árboles, los naturales del país construyen estas balsas con los juncos del mismo lago. Esta elegante embarcación no ha cambiado apenas desde que la vieron por primera vez los conquistadores españoles del siglo XVI.

Igual que las balsas construidas con odres o pellejos (pág. 6), esta embarcación, utilizada para descender rápidos por deporte, flota gracias al aire con que se infla; sin embargo, como no pasa el agua a través de ella, no es una verdadera balsa.

En 1947 el noruego Thor Heyerdahl navegó en esta balsa, la *Kon Tiki*, una distancia de 6.500 km a través del océano Pacífico, tratando de demostrar que los indígenas de América del Sur pudieron haber colonizado las islas de Polinesia.

Embarcaciones de pieles

En las Islas Británicas se utilizaron antiguamente pieles de ganado para hacer embarcaciones redondas llamadas *coracles*. La piel es hoy sustituida por lona o tela embreada.

PUEDE HACERSE UNA EMBARCACIÓN cubriendo con la piel de un animal una armadura de madera; para ello sirven toda clase de pieles: en la India se usan las de búfalo para construir *paracils*, de forma redonda; en el Tíbet usan las del yak y los indios de las praderas de América del Norte cruzaban los ríos a bordo de embarcaciones de piel de bisonte. Los esquimales recubren sus cayucos con pieles de foca, pero al escasear éstas, muchos las sustituyen por lona impermeabilizada. Muchas de estas embarcaciones no han cambiado de forma durante siglos y suelen utilizarse en regiones donde escasea la madera. Son ligeras, maniobrables, fáciles de transportar y, a veces, sorprendentemente seguras incluso en aguas agitadas.

La *coracle* de Inglaterra y Gales es una embarcación monoplaza utilizada para pescar en los ríos. Su tripulante la guía con un canalete río abajo y luego tiene que volver a pie con su bote a cuestas.

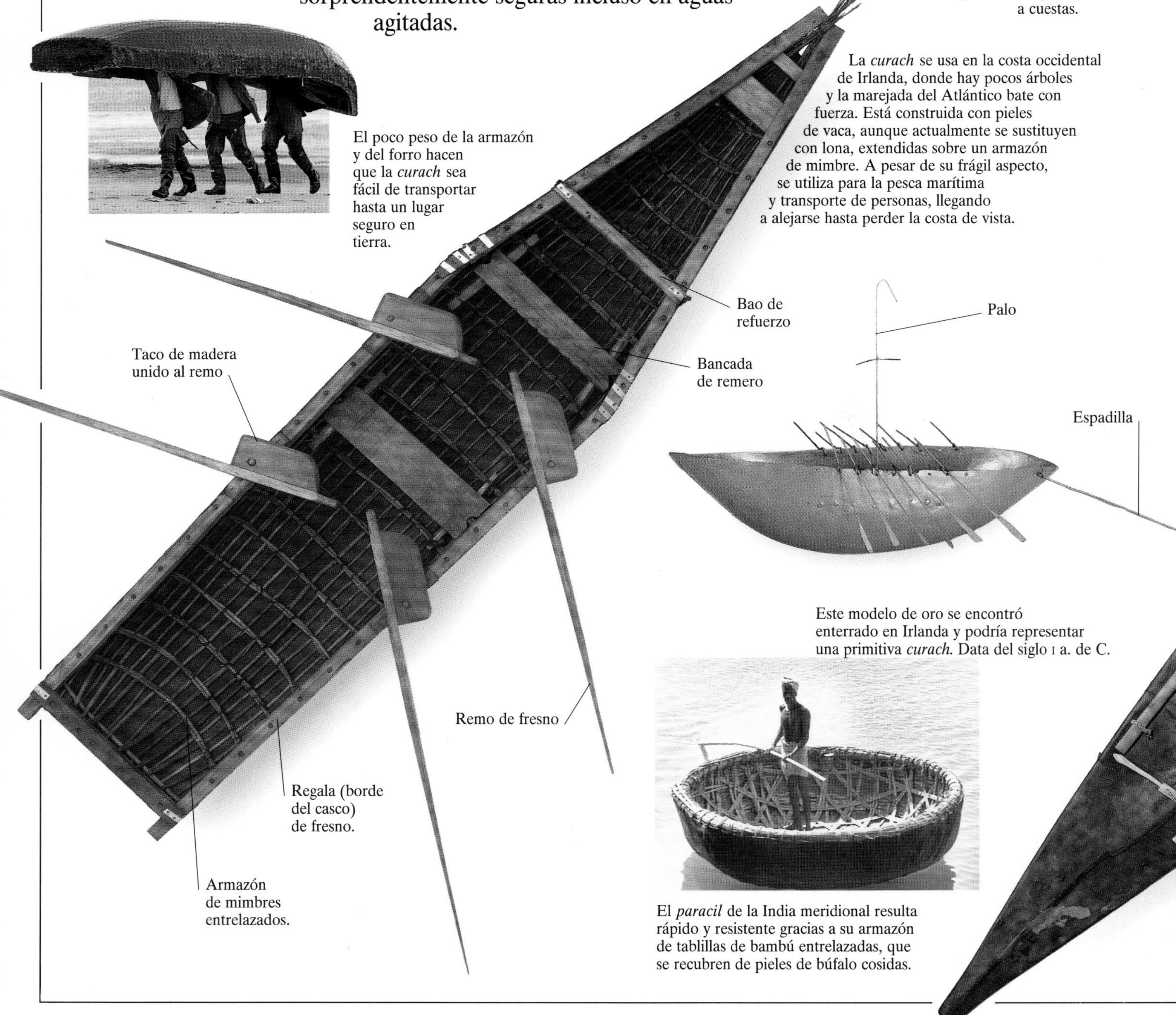

El poco peso de la armazón y del forro hacen que la *curach* sea fácil de transportar hasta un lugar seguro en tierra.

La *curach* se usa en la costa occidental de Irlanda, donde hay pocos árboles y la marejada del Atlántico bate con fuerza. Está construida con pieles de vaca, aunque actualmente se sustituyen con lona, extendidas sobre un armazón de mimbre. A pesar de su frágil aspecto, se utiliza para la pesca marítima y transporte de personas, llegando a alejarse hasta perder la costa de vista.

Este modelo de oro se encontró enterrado en Irlanda y podría representar una primitiva *curach.* Data del siglo I a. de C.

El *paracil* de la India meridional resulta rápido y resistente gracias a su armazón de tablillas de bambú entrelazadas, que se recubren de pieles de búfalo cosidas.

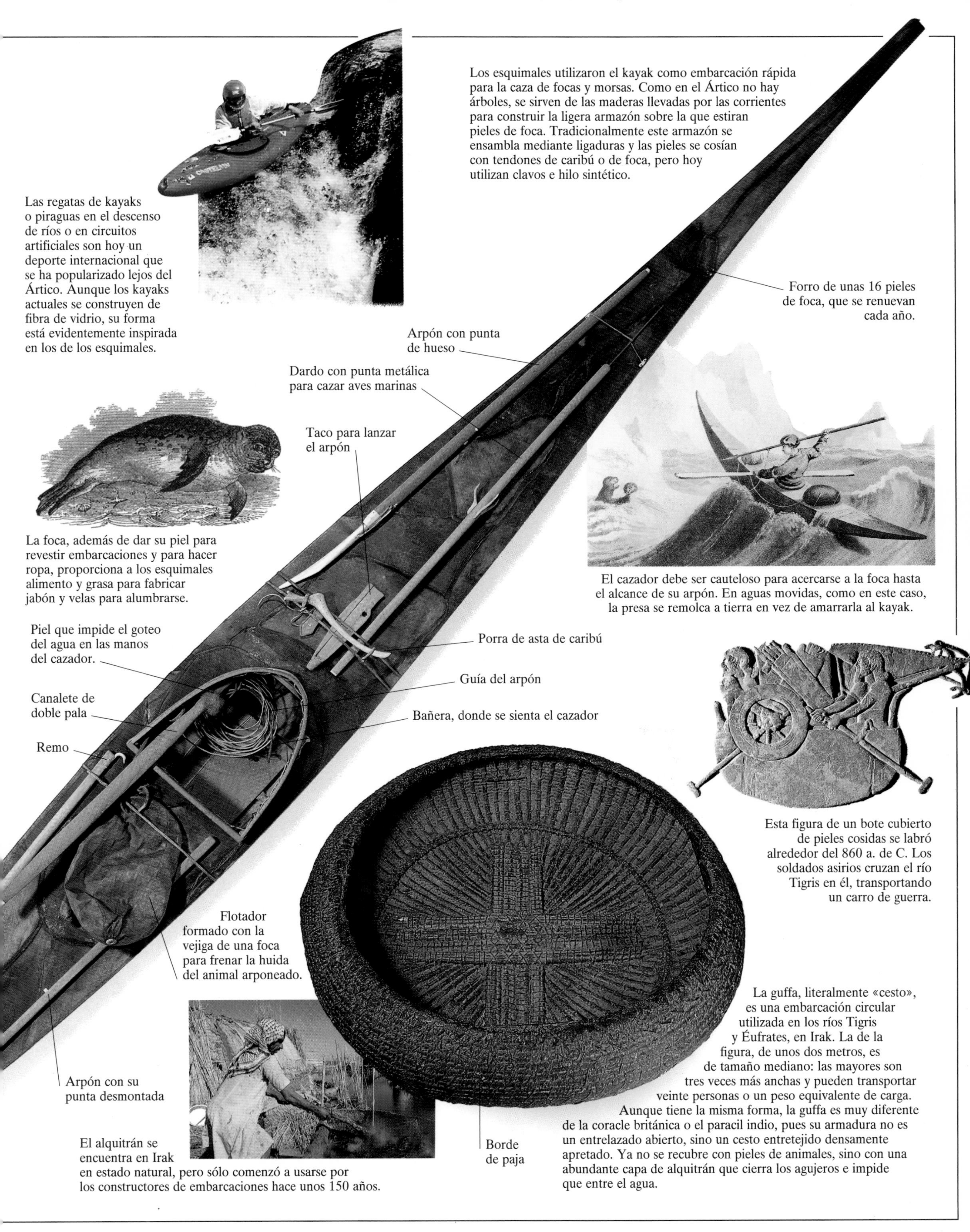

Los esquimales utilizaron el kayak como embarcación rápida para la caza de focas y morsas. Como en el Ártico no hay árboles, se sirven de las maderas llevadas por las corrientes para construir la ligera armazón sobre la que estiran pieles de foca. Tradicionalmente este armazón se ensambla mediante ligaduras y las pieles se cosían con tendones de caribú o de foca, pero hoy utilizan clavos e hilo sintético.

Las regatas de kayaks o piraguas en el descenso de ríos o en circuitos artificiales son hoy un deporte internacional que se ha popularizado lejos del Ártico. Aunque los kayaks actuales se construyen de fibra de vidrio, su forma está evidentemente inspirada en los de los esquimales.

La foca, además de dar su piel para revestir embarcaciones y para hacer ropa, proporciona a los esquimales alimento y grasa para fabricar jabón y velas para alumbrarse.

El cazador debe ser cauteloso para acercarse a la foca hasta el alcance de su arpón. En aguas movidas, como en este caso, la presa se remolca a tierra en vez de amarrarla al kayak.

Esta figura de un bote cubierto de pieles cosidas se labró alrededor del 860 a. de C. Los soldados asirios cruzan el río Tigris en él, transportando un carro de guerra.

La guffa, literalmente «cesto», es una embarcación circular utilizada en los ríos Tigris y Éufrates, en Irak. La de la figura, de unos dos metros, es de tamaño mediano: las mayores son tres veces más anchas y pueden transportar veinte personas o un peso equivalente de carga. Aunque tiene la misma forma, la guffa es muy diferente de la coracle británica o el paracil indio, pues su armadura no es un entrelazado abierto, sino un cesto entretejido densamente apretado. Ya no se recubre con pieles de animales, sino con una abundante capa de alquitrán que cierra los agujeros e impide que entre el agua.

El alquitrán se encuentra en Irak en estado natural, pero sólo comenzó a usarse por los constructores de embarcaciones hace unos 150 años.

Canoas de corteza

PUEDE CONSTRUIRSE UN CASCO ESTANCO con la piel de un animal o con la de un árbol, o sea con su corteza. Se construyeron así en muchos lugares, pero fueron los pueblos que vivían en los bosques de Norteamérica quienes más los perfeccionaron. Esta región está surcada por una gran red de ríos y lagos que contienen la mitad del agua dulce del mundo; los ríos tienen muchos rápidos, pero las canoas de corteza son bastante resistentes para navegar en aguas movidas; también son lo suficientemente ligeras para llevarlas a cuestas, evitando cataratas y rápidos intransitables. La mejor corteza se obtiene del abedul blanco, pero también se utiliza la del olmo, la del castaño y hasta la del abeto. Los colonizadores europeos pronto comprendieron el valor de las canoas de corteza para la exploración y el comercio de pieles, imitando al principio la tradición nativa, pero hoy el arte de la construcción en corteza casi ha desaparecido, aunque sus formas persisten en miles de canoas fabricadas con plástico y fibra de vidrio.

Los aborígenes australianos construían canoas con corteza de eucalipto. La figura muestra a uno de ellos pescando en las costas de Tasmania. También se construyeron canoas de corteza en Tierra de Fuego, África, China, Indonesia, Siberia y Escandinavia.

El agreste Canadá ofrecía a los colonizadores y turistas europeos el atractivo incomparable de la caza y la pesca, así como la emoción de cruzar los rápidos de sus ríos a bordo de un bote ligero y flexible como éste.

Esta canoa de corteza de abedul fue construida por el hijo de un jefe algonquino. Los algonquinos viven en el valle de Ottawa y en torno a los numerosos ríos tributarios del San Lorenzo, región de Canadá conocida hoy por Ontario. Se trata de un ejemplar pequeño (de unos 3 m de eslora), pues las canoas de guerra algonquinas llegaban a los 10,5 m y eran mucho más veloces que las grandes canoas de corteza de olmo de sus vecinos y habituales enemigos, los iroqueses.

La Compañía de la Bahía de Hudson utilizó esta canoa de 12 m para el transporte de personalidades y mensajes urgentes. Entre los pasajeros se encuentra Frances Ann Hopkins, autora de esta pintura. En estas canoas el ritmo normal era de unas 40 paladas por minuto.

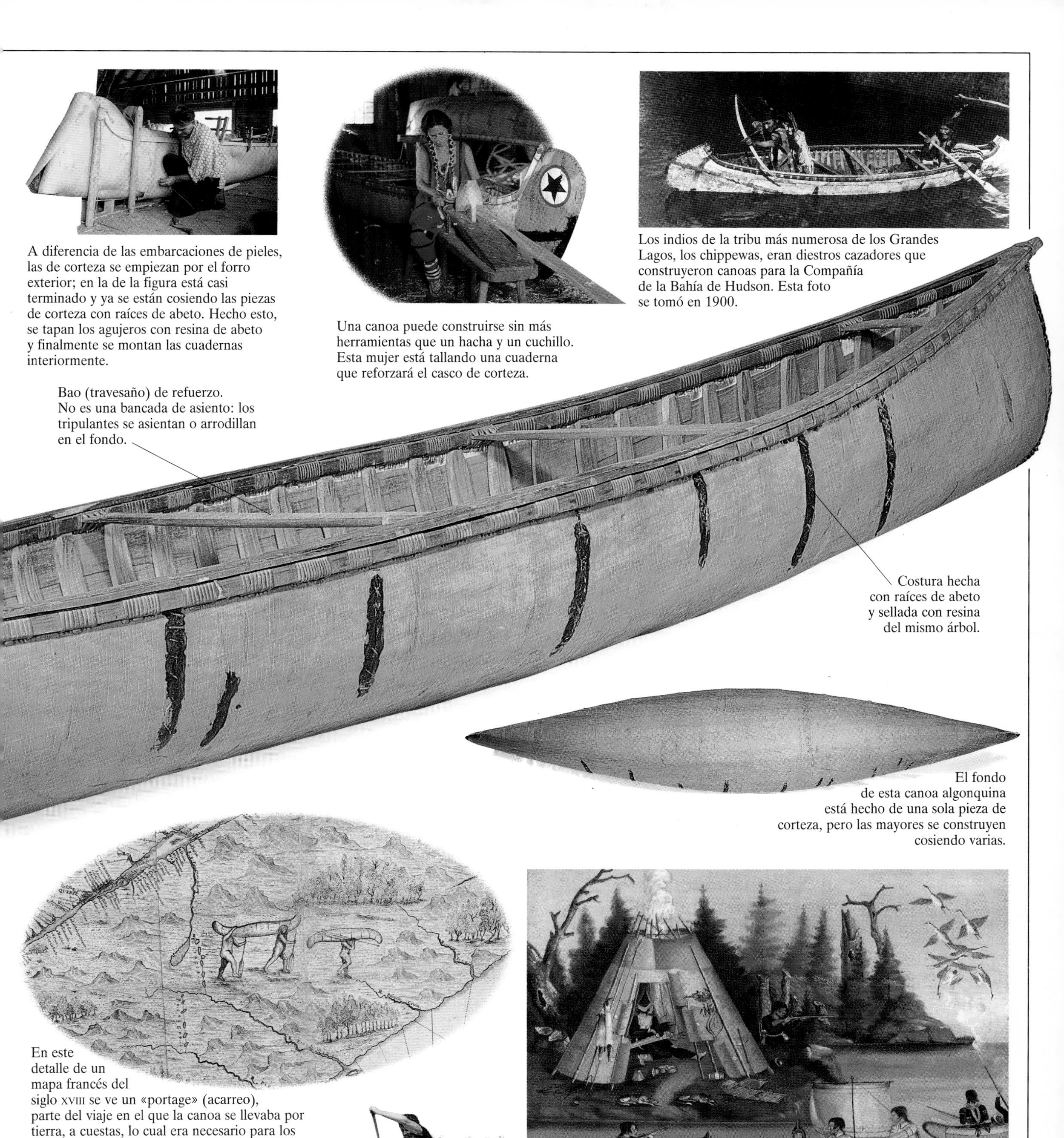

A diferencia de las embarcaciones de pieles, las de corteza se empiezan por el forro exterior; en la de la figura está casi terminado y ya se están cosiendo las piezas de corteza con raíces de abeto. Hecho esto, se tapan los agujeros con resina de abeto y finalmente se montan las cuadernas interiormente.

Una canoa puede construirse sin más herramientas que un hacha y un cuchillo. Esta mujer está tallando una cuaderna que reforzará el casco de corteza.

Los indios de la tribu más numerosa de los Grandes Lagos, los chippewas, eran diestros cazadores que construyeron canoas para la Compañía de la Bahía de Hudson. Esta foto se tomó en 1900.

Bao (travesaño) de refuerzo. No es una bancada de asiento: los tripulantes se asientan o arrodillan en el fondo.

Costura hecha con raíces de abeto y sellada con resina del mismo árbol.

El fondo de esta canoa algonquina está hecho de una sola pieza de corteza, pero las mayores se construyen cosiendo varias.

En este detalle de un mapa francés del siglo XVIII se ve un «portage» (acarreo), parte del viaje en el que la canoa se llevaba por tierra, a cuestas, lo cual era necesario para los viajeros de entonces con objeto de evitar rápidos o pasar de un río a otro.

Las formas de la canoa de corteza son tan adecuadas para aguas agitadas que hoy todavía las copian los constructores con contrachapado, plástico o fibra de vidrio.

Los micmac viven en la costa oriental de Canadá. Sus canoas estaban cerradas por los extremos, de modo que podían salir a la mar sin que las inundaran las olas. Una de las canoas de esta escena, pintada alrededor de 1850, lleva una vela, idea tomada de los colonos europeos, igual que las armas de fuego utilizadas para cazar. En tiempos anteriores los micmacs realizaban expediciones costeras con sus canoas hasta grandes distancias al sur de su territorio.

Canoas de troncos

DESDE HACE 8.000 AÑOS se vienen talando árboles y ahuecándolos para hacer el tipo más sencillo de embarcación: el tronco vaciado. Las más elementales de estas embarcaciones están toscamente construidas y apenas sirven para llevar un tripulante de pie; otras, como las canoas de guerra de los maorís neozelandeses o de los haida de la costa occidental de Canadá, pueden llevar hasta 20 personas y están bellamente decoradas. Debido a su gran peso y poca flotabilidad, la mayoría sólo puede usarse en aguas tranquilas, pero en el Pacífico llegaron a realizar largos viajes oceánicos. En algunas islas del Pacífico se unen dos o más cascos (catamaranes), pero es más frecuente instalar un flotador de madera al costado para lograr un bote de vela estable y eficaz: la canoa con batanga.

Se puede ensanchar un tronco ahuecado llenándolo de agua, que se hace hervir echando piedras calientes; esto ablanda la madera para poder abrir los costados, separándolos.

Mazo grande

Azuela a dos manos para desbastar

Cabilla de madera para fijar tablas que aumentan la altura del costado.

El exterior de esta canoa indonesia está aún en bruto y se ha comenzado el trabajo de ahuecar. La altura de los costados se aumenta añadiendo tablas sobre los bordes del casco y cuando éste ya ha tomado forma, se termina lijándolo con la piel de ciertos peces para dejarlo liso.

Sirviéndose sólo de herramientas de piedra, los maorís de Nueva Zelanda construyeron las canoas de troncos ahuecados más artísticamente talladas; sacadas de pinos indígenas (kauri), llegaban a los 22 cm de eslora.

Azuela de una mano para tallado más delicado

Mazo pequeño para encajar cabillas de madera.

En África y América Central y del Sur, los botes de troncos ahuecados siguen siendo un medio importante de transporte acuático. Con un timón y una o dos velas de cuchillo (pág. 24), embarcaciones como ésta transportan mercancías en las aguas interiores del puerto de Cartagena (Colombia) y también pueden verse en Panamá, donde se usan para la pesca.

Anilla a la que se afirma el cabo de amarre (boza).

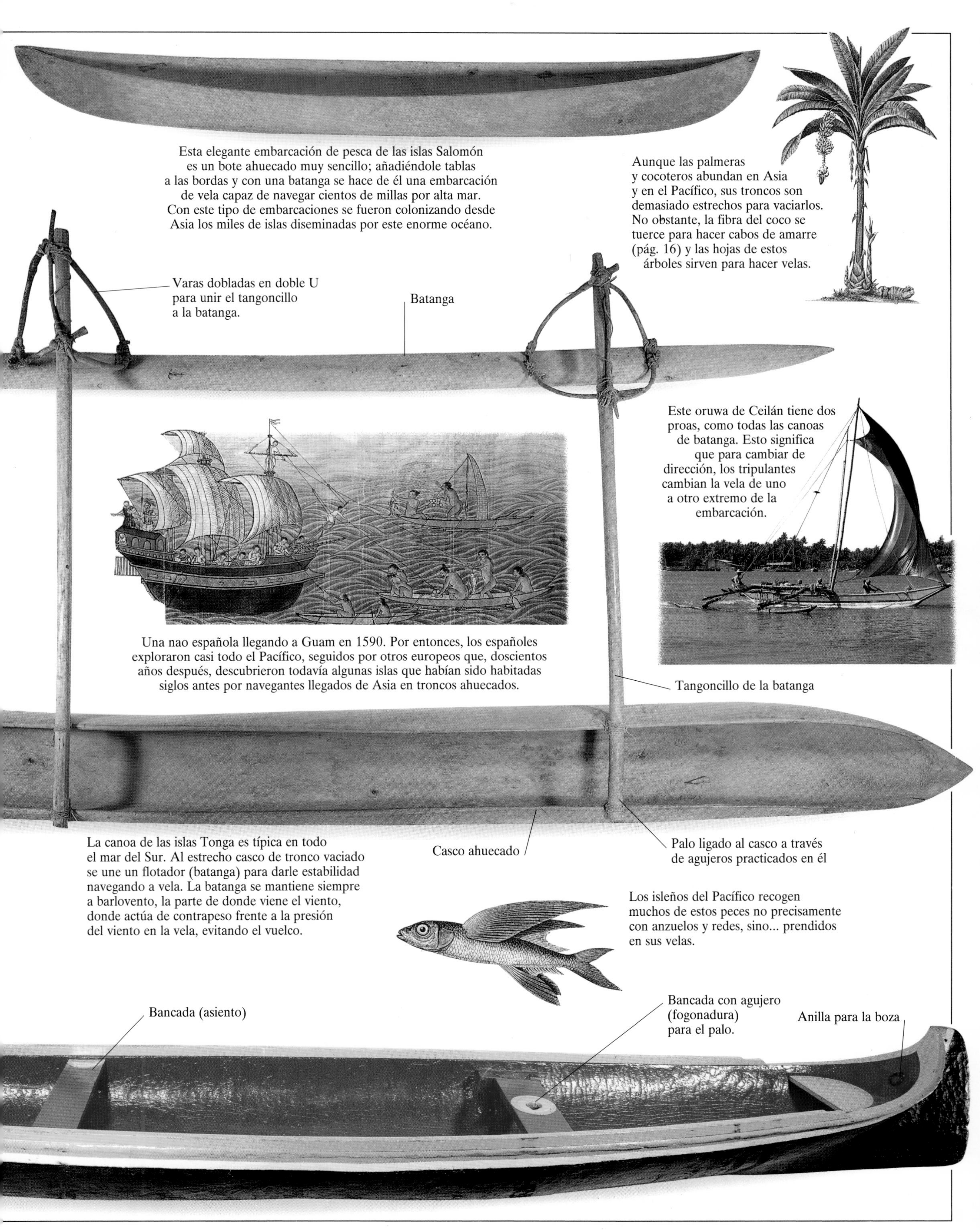

Esta elegante embarcación de pesca de las islas Salomón es un bote ahuecado muy sencillo; añadiéndole tablas a las bordas y con una batanga se hace de él una embarcación de vela capaz de navegar cientos de millas por alta mar. Con este tipo de embarcaciones se fueron colonizando desde Asia los miles de islas diseminadas por este enorme océano.

Aunque las palmeras y cocoteros abundan en Asia y en el Pacífico, sus troncos son demasiado estrechos para vaciarlos. No obstante, la fibra del coco se tuerce para hacer cabos de amarre (pág. 16) y las hojas de estos árboles sirven para hacer velas.

Este oruwa de Ceilán tiene dos proas, como todas las canoas de batanga. Esto significa que para cambiar de dirección, los tripulantes cambian la vela de uno a otro extremo de la embarcación.

Una nao española llegando a Guam en 1590. Por entonces, los españoles exploraron casi todo el Pacífico, seguidos por otros europeos que, doscientos años después, descubrieron todavía algunas islas que habían sido habitadas siglos antes por navegantes llegados de Asia en troncos ahuecados.

La canoa de las islas Tonga es típica en todo el mar del Sur. Al estrecho casco de tronco vaciado se une un flotador (batanga) para darle estabilidad navegando a vela. La batanga se mantiene siempre a barlovento, la parte de donde viene el viento, donde actúa de contrapeso frente a la presión del viento en la vela, evitando el vuelco.

Los isleños del Pacífico recogen muchos de estos peces no precisamente con anzuelos y redes, sino... prendidos en sus velas.

Embarcaciones de tablas

PUEDE CONSTRUIRSE UN BOTE prácticamente de cualquier forma uniendo cierto número de tablas; así puede ser muy largo y hondo, a diferencia del tronco ahuecado, cuyas dimensiones están limitadas por las del árbol del que procede, y puede llevar muchos pasajeros o carga, navegando con seguridad en aguas movidas. Frecuentemente las tablas se sujetan a un esqueleto de fuertes piezas de madera o cuadernas; también pueden montarse las cuadernas después de unidas las tablas, pero en todo caso las embarcaciones se dividen en dos grupos: las construidas a tope, en las que las tablas se unen canto con canto formando una superficie lisa o a tingladillo, en las que las tablas se solapan unas sobre otras.

Antes de que se construyera el puerto de Madrás, en la India, los botes tenían que salvar fuertes rompientes para el barqueo de pasajeros y carga de los buques fondeados frente a la costa; las tablas de estos botes se cosían, en lugar de clavarse, con el fin de permitirles cierto juego ante el embate de las olas.

Los pescadores de la costa oriental de la India siguen cosiendo sus embarcacione rellenando los huecos entr los tablones con hierbas o fibras de coco antes de ligarlos con cuerdas de coc que se pasan por agujeros perforados previamente.

Generalmente, las tablas se cortan rectas y después se curvan al calor; sin embargo, en esta canoa de las islas Salomón (tora) cada tablón se talla de forma precisa y se une a los demás con ligaduras de hojas de palma. Luego se añaden las cuadernas, que se ligan a los salientes previstos para ello en las tablas del forro.

La Biblia relata que el arca de Noé, que salvó a los animales del Diluvio, tenía una longitud o eslora de 133 m. En esta vidriera inglesa del siglo XIII aparece como una carraca, barco del norte de Europa.

Esta barca de pesca portuguesa está construida a tope; tiene el fondo plano para deslizarse fácilmente por la playa y una proa muy levantada (arrufo) para no anegarse en las rompientes. La popa cuadrada se hace curvando las tablas del fondo hacia arriba, sistema muy elaborado, pues la mayoría de las embarcaciones de esta forma están simplemente provistas de una pieza llamada espejo.

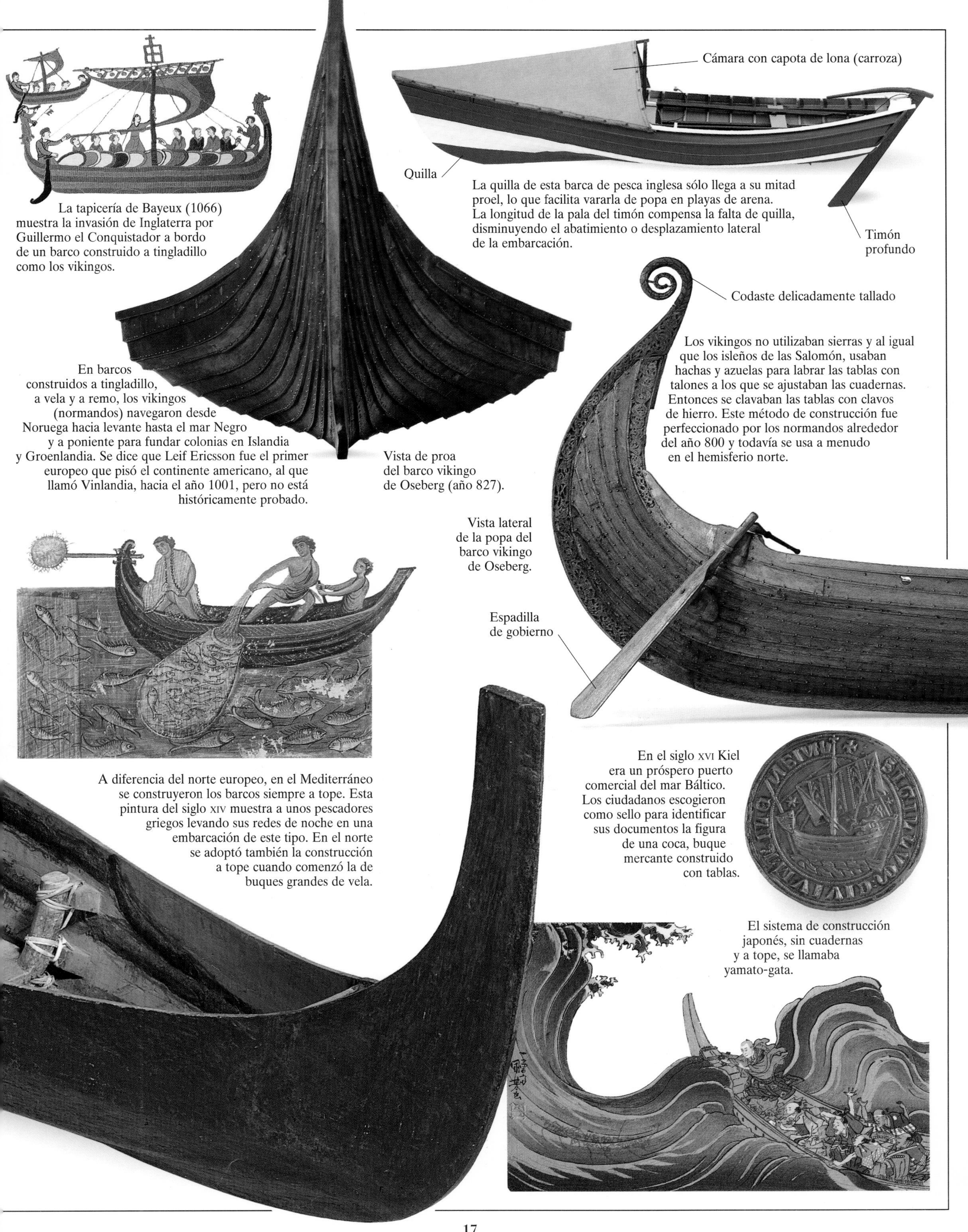

La tapicería de Bayeux (1066) muestra la invasión de Inglaterra por Guillermo el Conquistador a bordo de un barco construido a tingladillo como los vikingos.

La quilla de esta barca de pesca inglesa sólo llega a su mitad proel, lo que facilita vararla de popa en playas de arena. La longitud de la pala del timón compensa la falta de quilla, disminuyendo el abatimiento o desplazamiento lateral de la embarcación.

Los vikingos no utilizaban sierras y al igual que los isleños de las Salomón, usaban hachas y azuelas para labrar las tablas con talones a los que se ajustaban las cuadernas. Entonces se clavaban las tablas con clavos de hierro. Este método de construcción fue perfeccionado por los normandos alrededor del año 800 y todavía se usa a menudo en el hemisferio norte.

En barcos construidos a tingladillo, a vela y a remo, los vikingos (normandos) navegaron desde Noruega hacia levante hasta el mar Negro y a poniente para fundar colonias en Islandia y Groenlandia. Se dice que Leif Ericsson fue el primer europeo que pisó el continente americano, al que llamó Vinlandia, hacia el año 1001, pero no está históricamente probado.

Vista de proa del barco vikingo de Oseberg (año 827).

Vista lateral de la popa del barco vikingo de Oseberg.

A diferencia del norte europeo, en el Mediterráneo se construyeron los barcos siempre a tope. Esta pintura del siglo XIV muestra a unos pescadores griegos levando sus redes de noche en una embarcación de este tipo. En el norte se adoptó también la construcción a tope cuando comenzó la de buques grandes de vela.

En el siglo XVI Kiel era un próspero puerto comercial del mar Báltico. Los ciudadanos escogieron como sello para identificar sus documentos la figura de una coca, buque mercante construido con tablas.

El sistema de construcción japonés, sin cuadernas y a tope, se llamaba yamato-gata.

Ensamblado

Hasta hace poco las tablas se cortaban a mano con grandes sierras manejadas por dos hombres; hoy se emplean máquinas de aserrar.

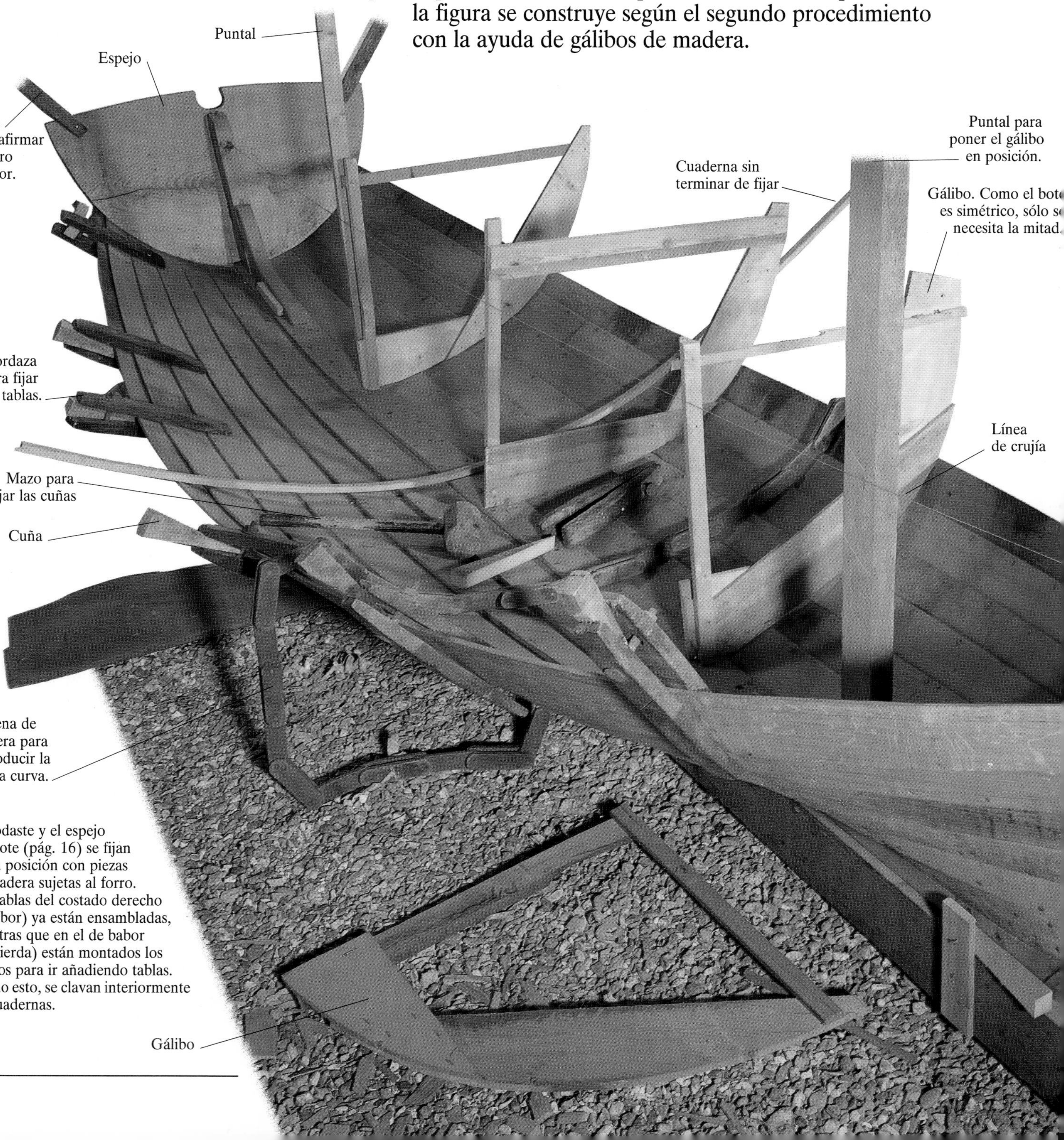

TODAS LAS EMBARCACIONES DE TABLAS se construyen con piezas planas de madera cortadas cada una de distinta forma. Luego se curvan y se unen por los bordes; muchos botes de madera y todos los barcos de este material se construyen armando primero un esqueleto o enramada al que se clava después el forro, pero en algunas embarcaciones pequeñas se sigue el orden contrario, de afuera adentro, para lo cual se utiliza un molde o gálibo que da la forma al forro, que después se refuerza con piezas interiores. El que muestra la figura se construye según el segundo procedimiento con la ayuda de gálibos de madera.

El codaste y el espejo del bote (pág. 16) se fijan en su posición con piezas de madera sujetas al forro. Las tablas del costado derecho (estribor) ya están ensambladas, mientras que en el de babor (izquierda) están montados los gálibos para ir añadiendo tablas. Hecho esto, se clavan interiormente las cuadernas.

La garlopa se usa para biselar los bordes de las tablas, de modo que al unirlas la superficie de contacto sea lo mayor posible.
Cotillo de bola para aplanar las puntas de los clavos
Garlopa pequeña
Herramienta para trazar cantos paralelos.
Clavos de cobre
Para unir dos tablas solapadas se perforan en el solape y se introducen clavos desde afuera; entonces se meten arandelas metálicas con un botador en las puntas de los clavos y se remachan con martillo. Finalmente, el extremo agudo del clavo se corta con alicates y se aplasta con el martillo.
Arandelas de cobre
Martillo de bola
Alicates de corte para eliminar las puntas.
Botador
Patilla
Contrarroda, pieza de refuerzo de la roda.
Traca superior, o «regala»
Se llama traca a la fila de tablas que va de un extremo a otro de la embarcación. Las nueve tracas diferentes de la figura forman uno de los costados de la embarcación; sólo es recto el canto bajo de una, que se une a la quilla y se llama «de aparadura». Una vez cortadas, se introducen en un recipiente con vapor que las ablanda y se curvan sobre los gálibos para unirlas entre sí.
Traca de aparadura
Traca de regala
Roda
Quilla
Traca de aparadura
Roda
Traca de regala
Cuaderna
Talón para el tolete del remo
Cinta (refuerzo longitudinal)
Bancada
Espejo
Quilla
Soporte para la quilla

El remo

La ENERGÍA MUSCULAR HUMANA es la más accesible para mover una embarcación. Las pequeñas pueden trasladarse fincando (pág. 6) o paleteando con un canalete en ambas manos; pero las embarcaciones más grandes se mueven con remos que se apoyan sobre la regala (pág. 19). Los canaletes son más manejables, pero no tan eficaces, pues con los remos se emplean mayor número de músculos. La mejor manera de usar un remo es tirando de él, pero para ello hay que dar la espalda a proa, de modo que no se ve a dónde se va. Los antiguos griegos y romanos construyeron grandes barcos de guerra a remo, llamados galeras, en los que bogaban hasta 1.800 remeros. Los esclavos y prisioneros que servían en las galeras vivían en condiciones muy penosas; no obstante, se siguieron utilizando las galeras hasta principios del siglo XIX.

Este mosaico romano representa la leyenda de cómo el héroe griego Odiseo (Ulises) eludió a las sirenas, monstruos que engañaban con su canto armonioso a los navegantes para estrellarlos contra las rocas de la costa. Hizo que sus hombres se taparan los oídos con cera, pero su curiosidad no le permitió hacer lo mismo que los suyos: se hizo amarrar al palo para no tirarse al mar al oír los cantos de las sirenas.

Las galeras griegas eran arietes flotantes. Al divisar al enemigo, bogaban hacia él a toda velocidad, tratando de embestirle y agujerear su casco para hundirlo con su espolón, que se proyectaba por delante de su proa. En este vaso del año 510 a. de C. se ve una galera pequeña con un solo orden de remos, pero también se construyeron grandes birremes con dos y hasta trirremes con tres órdenes o filas de remos.

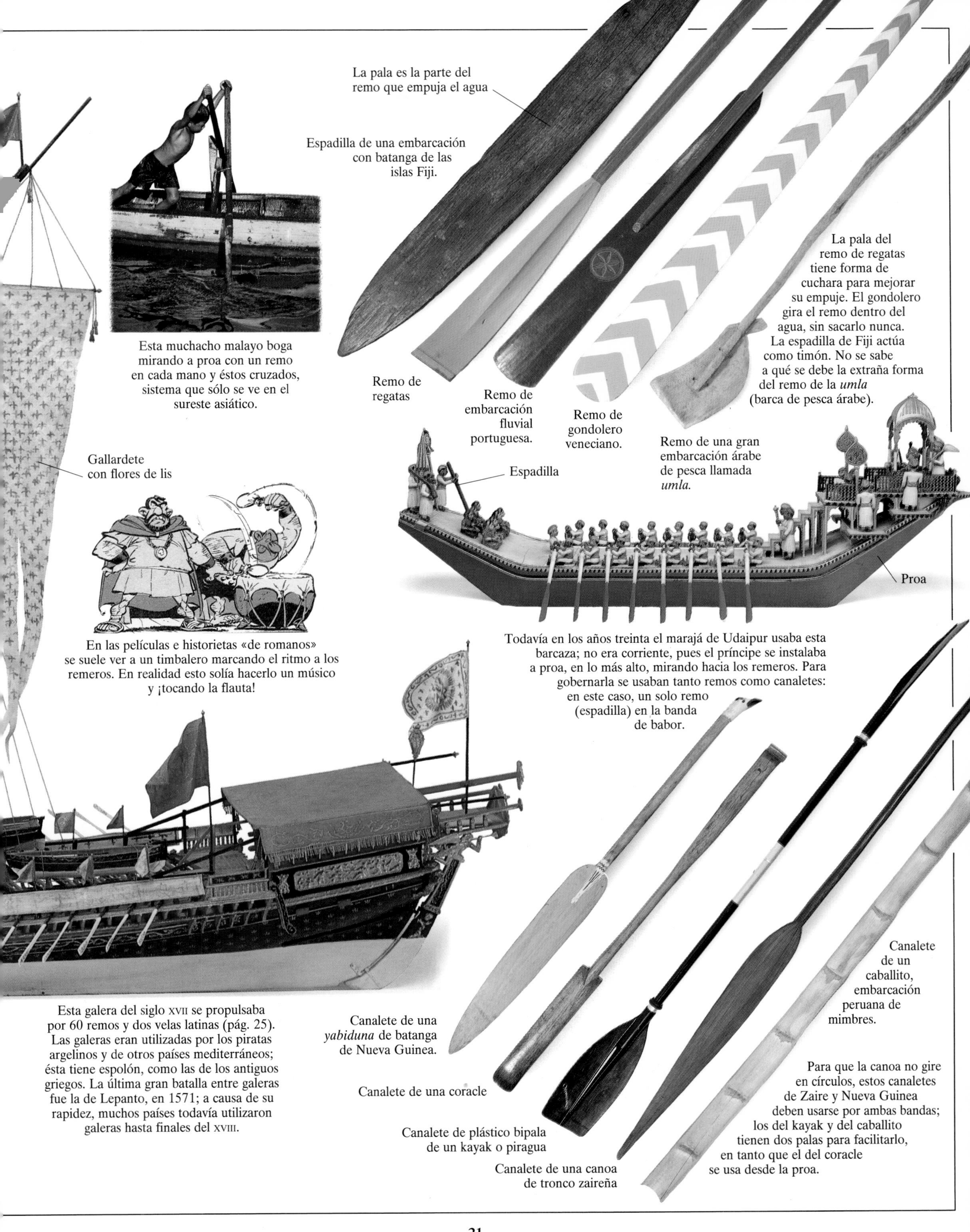

Esta muchacho malayo boga mirando a proa con un remo en cada mano y éstos cruzados, sistema que sólo se ve en el sureste asiático.

La pala del remo de regatas tiene forma de cuchara para mejorar su empuje. El gondolero gira el remo dentro del agua, sin sacarlo nunca. La espadilla de Fiji actúa como timón. No se sabe a qué se debe la extraña forma del remo de la *umla* (barca de pesca árabe).

En las películas e historietas «de romanos» se suele ver a un timbalero marcando el ritmo a los remeros. En realidad esto solía hacerlo un músico y ¡tocando la flauta!

Todavía en los años treinta el marajá de Udaipur usaba esta barcaza; no era corriente, pues el príncipe se instalaba a proa, en lo más alto, mirando hacia los remeros. Para gobernarla se usaban tanto remos como canaletes: en este caso, un solo remo (espadilla) en la banda de babor.

Esta galera del siglo XVII se propulsaba por 60 remos y dos velas latinas (pág. 25). Las galeras eran utilizadas por los piratas argelinos y de otros países mediterráneos; ésta tiene espolón, como las de los antiguos griegos. La última gran batalla entre galeras fue la de Lepanto, en 1571; a causa de su rapidez, muchos países todavía utilizaron galeras hasta finales del XVIII.

Para que la canoa no gire en círculos, estos canaletes de Zaire y Nueva Guinea deben usarse por ambas bandas; los del kayak y del caballito tienen dos palas para facilitarlo, en tanto que el del coracle se usa desde la proa.

El viento

LA ENERGÍA DEL AIRE EN MOVIMIENTO puede impulsar a una embarcación de vela, procedimiento empleado casi desde la aparición de los barcos. La primera vela pudo ser un trozo de tela levantado con las manos; el siguiente paso sería atarlo a un palo, que se mantiene derecho con las jarcias firmes consistentes en los obenques, que lo sujetan lateralmente, y los estays, que impiden que caiga en el sentido longitudinal y de los que también pueden colgarse velas, aunque normalmente éstas se sujetan a una percha (verga o pico en la parte alta y botavara o botalón en la baja). Las velas se manejan mediante cabos llamados escotas que se controlan constantemente para mantenerlas en el ángulo adecuado respecto al viento.

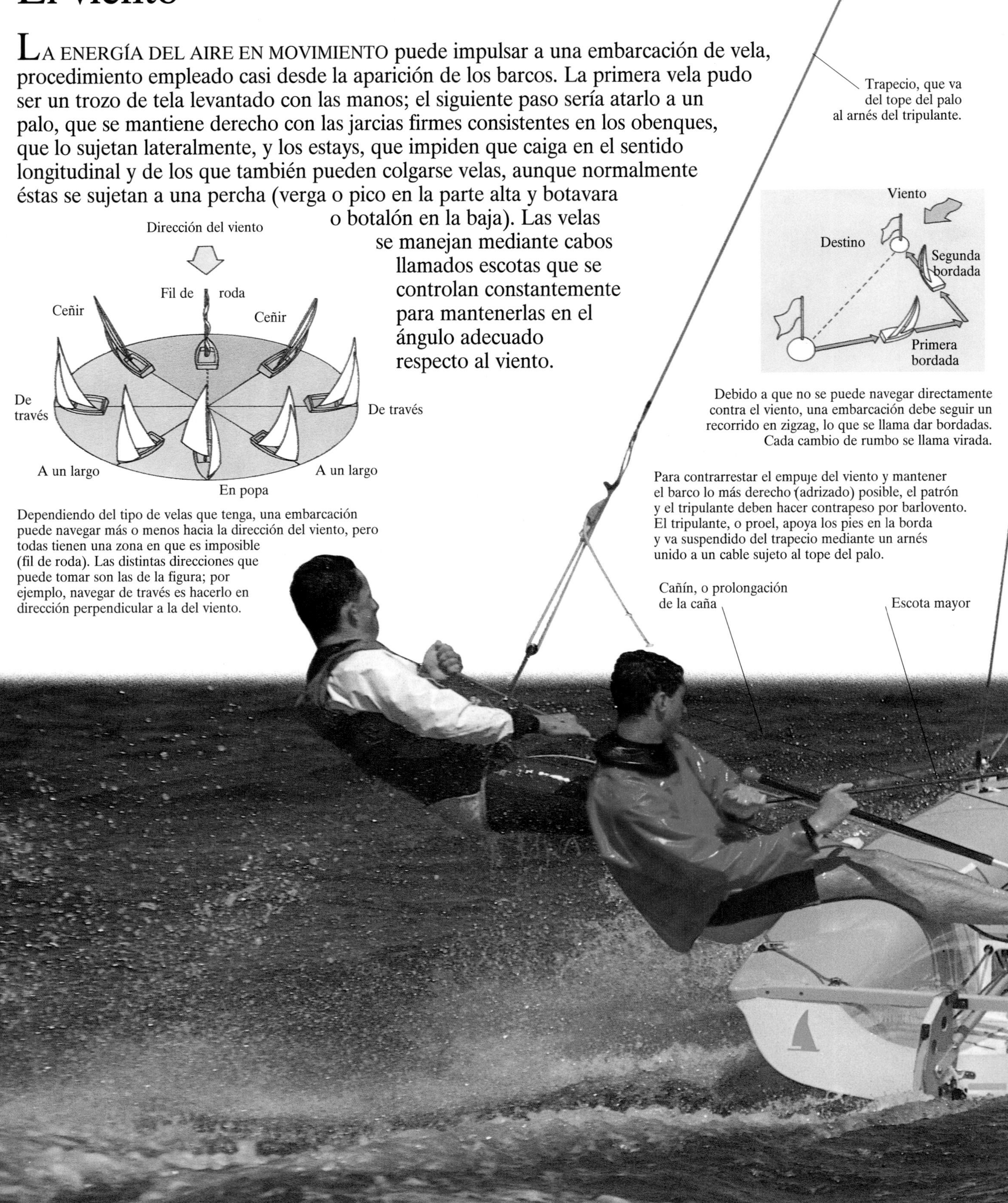

Dependiendo del tipo de velas que tenga, una embarcación puede navegar más o menos hacia la dirección del viento, pero todas tienen una zona en que es imposible (fil de roda). Las distintas direcciones que puede tomar son las de la figura; por ejemplo, navegar de través es hacerlo en dirección perpendicular a la del viento.

Debido a que no se puede navegar directamente contra el viento, una embarcación debe seguir un recorrido en zigzag, lo que se llama dar bordadas. Cada cambio de rumbo se llama virada.

Para contrarrestar el empuje del viento y mantener el barco lo más derecho (adrizado) posible, el patrón y el tripulante deben hacer contrapeso por barlovento. El tripulante, o proel, apoya los pies en la borda y va suspendido del trapecio mediante un arnés unido a un cable sujeto al tope del palo.

Una embarcación de fondo plano se desplazará lateralmente al empujarla el viento. Para evitar esto se usa la orza; entonces se escora o inclina a sotavento y este efecto se atenúa trasladando el peso de los tripulantes a la banda contraria (barlovento). Las quillas (pág. 7) y orzas laterales (págs. 34-35) hacen el mismo efecto.

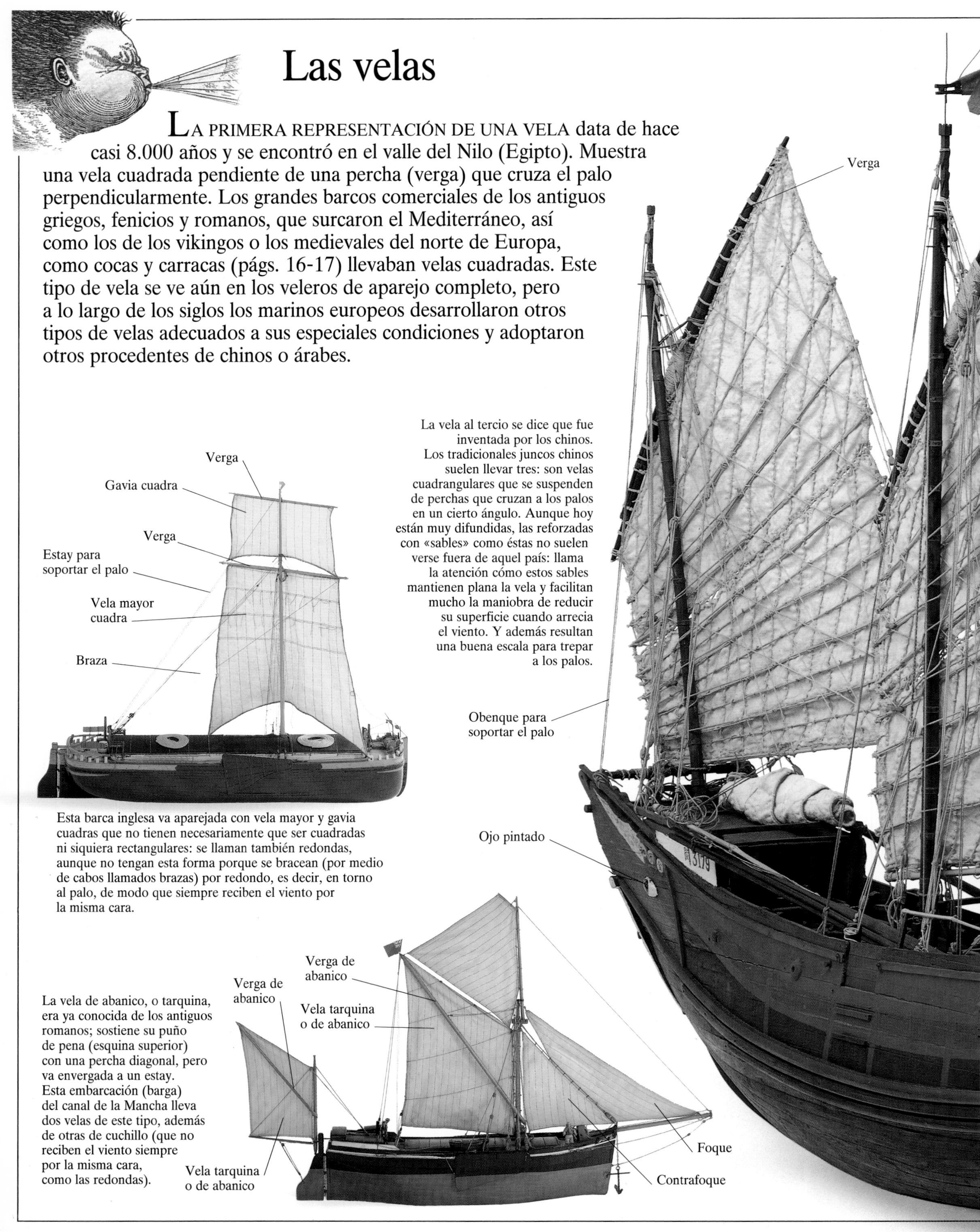

Las velas

LA PRIMERA REPRESENTACIÓN DE UNA VELA data de hace casi 8.000 años y se encontró en el valle del Nilo (Egipto). Muestra una vela cuadrada pendiente de una percha (verga) que cruza el palo perpendicularmente. Los grandes barcos comerciales de los antiguos griegos, fenicios y romanos, que surcaron el Mediterráneo, así como los de los vikingos o los medievales del norte de Europa, como cocas y carracas (págs. 16-17) llevaban velas cuadradas. Este tipo de vela se ve aún en los veleros de aparejo completo, pero a lo largo de los siglos los marinos europeos desarrollaron otros tipos de velas adecuados a sus especiales condiciones y adoptaron otros procedentes de chinos o árabes.

La vela al tercio se dice que fue inventada por los chinos. Los tradicionales juncos chinos suelen llevar tres: son velas cuadrangulares que se suspenden de perchas que cruzan a los palos en un cierto ángulo. Aunque hoy están muy difundidas, las reforzadas con «sables» como éstas no suelen verse fuera de aquel país: llama la atención cómo estos sables mantienen plana la vela y facilitan mucho la maniobra de reducir su superficie cuando arrecia el viento. Y además resultan una buena escala para trepar a los palos.

Esta barca inglesa va aparejada con vela mayor y gavia cuadras que no tienen necesariamente que ser cuadradas ni siquiera rectangulares: se llaman también redondas, aunque no tengan esta forma porque se bracean (por medio de cabos llamados brazas) por redondo, es decir, en torno al palo, de modo que siempre reciben el viento por la misma cara.

La vela de abanico, o tarquina, era ya conocida de los antiguos romanos; sostiene su puño de pena (esquina superior) con una percha diagonal, pero va envergada a un estay. Esta embarcación (barga) del canal de la Mancha lleva dos velas de este tipo, además de otras de cuchillo (que no reciben el viento siempre por la misma cara, como las redondas).

La saetía lleva una vela triangular en la que se ha cortado el puño de amura (vela mística). Se ve a menudo en los dows árabes, pero el de la figura se dedica a la pesca en el Nilo.

Este abigarrado dow de Kuwait lleva dos velas latinas. Esta vela es de las llamadas de cuchillo porque no recibe el viento perpendicular a su superficie, sino que lo «corta». Fue inventada probablemente por los árabes, quizá precursora de la vela mística. Para virar hay que lascar (aflojar) la jarcia y pasar la entena a la otra banda del palo.

La vela triangular de esta embarcación balinesa también es latina; está envergada sobre un palo muy corto que queda oculto tras ella, en la foto.

Este barco de origen portugués del siglo xv, la carabela, llevaba velas redondas o cuadras en el bauprés y trinquete y latinas en los otros tres. Dos siglos después los navíos aparejaban velas cuadras en los tres palos y una latina sólo en el de mesana.

La época de los veleros

Los veleros descubrieron nuevos mundos: en el siglo XV llevaron a Cristóbal Colón a América y a Vasco de Gama a la India rodeando África. Los mares del sur fueron explorados por los españoles durante doscientos años hasta las exploraciones de Cook y otros en el XVIII. Gracias a los veleros se exploraron océanos y continentes; en la estela de los descubridores iban los barcos mercantes cargados de especias, sedas, tabaco y otros productos orientales y americanos que importaban a Europa. A lo largo de los siglos, la navegación por los siete mares fue el medio de vida de muchos hombres (y algunas mujeres). Siempre había cubiertas que calafatear, vergas que bracear, guardias que montar y velas en que tomar rizos, aferrar o remendar. Siempre en presencia de la mar, impredecible y capaz de alzar la repentina furia del temporal.

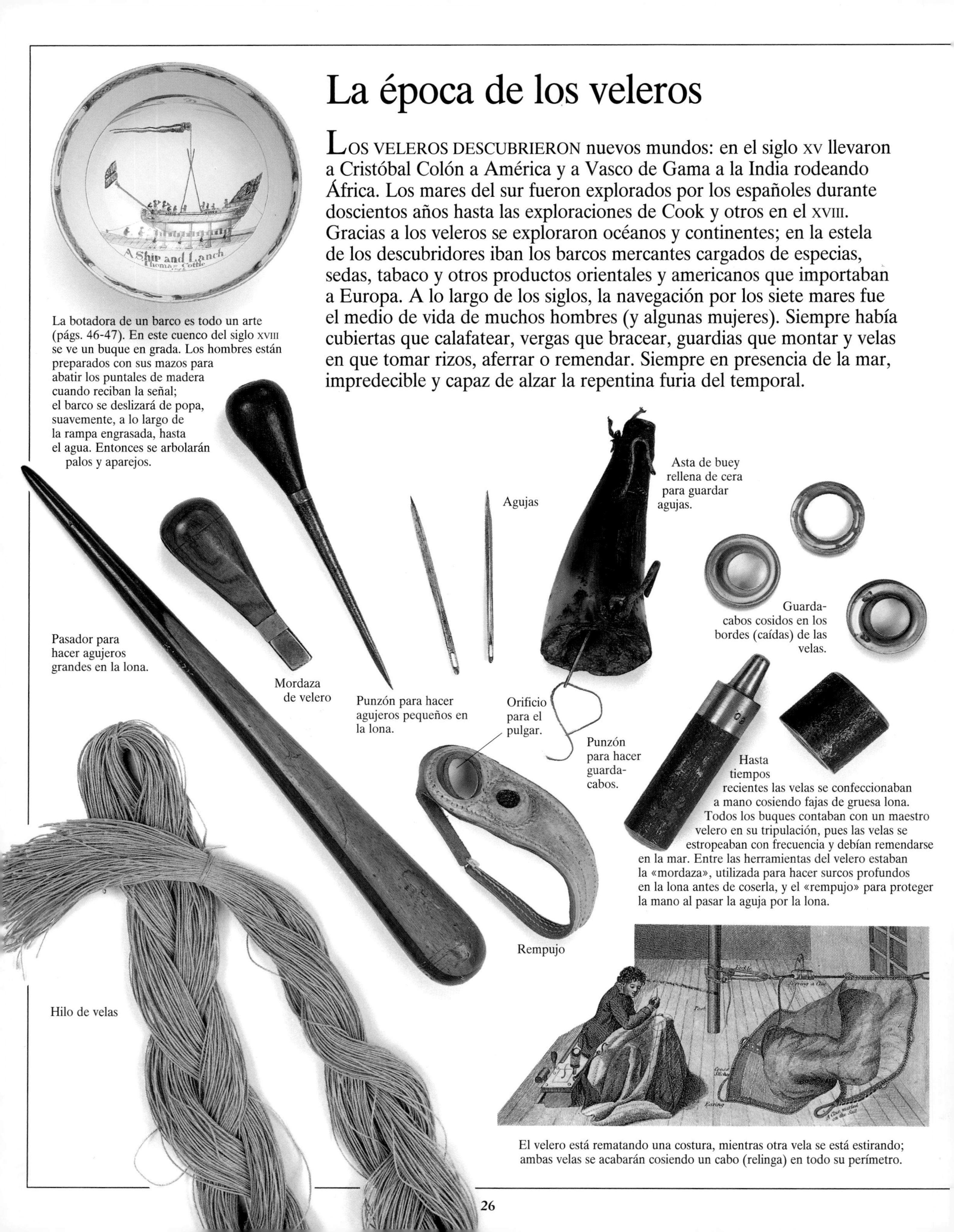

La botadora de un barco es todo un arte (págs. 46-47). En este cuenco del siglo XVIII se ve un buque en grada. Los hombres están preparados con sus mazos para abatir los puntales de madera cuando reciban la señal; el barco se deslizará de popa, suavemente, a lo largo de la rampa engrasada, hasta el agua. Entonces se arbolarán palos y aparejos.

Pasador para hacer agujeros grandes en la lona.

Mordaza de velero

Punzón para hacer agujeros pequeños en la lona.

Agujas

Asta de buey rellena de cera para guardar agujas.

Orificio para el pulgar.

Punzón para hacer guardacabos.

Guardacabos cosidos en los bordes (caídas) de las velas.

Rempujo

Hasta tiempos recientes las velas se confeccionaban a mano cosiendo fajas de gruesa lona. Todos los buques contaban con un maestro velero en su tripulación, pues las velas se estropeaban con frecuencia y debían remendarse en la mar. Entre las herramientas del velero estaban la «mordaza», utilizada para hacer surcos profundos en la lona antes de coserla, y el «rempujo» para proteger la mano al pasar la aguja por la lona.

Hilo de velas

El velero está rematando una costura, mientras otra vela se está estirando; ambas velas se acabarán cosiendo un cabo (relinga) en todo su perímetro.

Este barco *(Joseph Sampson)* corre el peligro de que, al romper las olas en su popa, dé fuertes guiñadas y llegue a atravesarse, lo que podría desarbolarlo e incluso hacerlo zozobrar.

Este buque mercante de mediados del siglo XIX tiene dos palos cruzados y el de mesana sólo con velas de cuchillo: recibe el nombre de bric-barca o barca. Navega con viento flojo de popa y ha largado todas las velas disponibles. De los penoles (extremos) de las vergas mayores, de gavia y de juanetes, se han zallado (sacado hacia afuera) botalones para velas suplementarias, llamadas alas. Las alas comenzaron a usarse a principios del siglo XVIII.

El calafate conserva la estanqueidad del casco y cubiertas, introduciendo estopa en las juntas de las tablas, y sellándolas después con alquitrán.

Esta botella se sacó del mar llena de escaramujo. Estos crustáceos se adhieren también a los cascos de los buques de madera, reduciendo su velocidad.

Ciertos moluscos, como la broma, perforan la madera del casco. Para impedirlo, desde fines del siglo XVII se forraban los barcos con planchas de cobre.

El coy se adoptó en el siglo XVI imitando la hamaca de los nativos de las Indias Occidentales. Antes, a bordo se dormía «a plan», es decir, en el suelo.

La despedida del marinero y de su novia era un motivo frecuente para los artistas del siglo XVIII.

LA VIDA A BORDO

Los marineros de los barcos de la carrera del té procedente de China, o con azúcar de las Indias Occidentales, exportando a cambio productos manufacturados de Europa, pasaban muchos meses lejos de sus casas. Eran gente ruda que vivía apiñada a bordo en pésimas condiciones; su alimentación era mala al terminarse a los pocos días las frutas y verduras frescas y, además, su sueldo era escaso. Algunos se hacían piratas y vivían más desahogadamente, robando a otros barcos.

Estos hombres descansan después de la comida en un navío de guerra. Para tener más luz y ventilación, las portas de los cañones están abiertas. Durante el combate las cubiertas se despejaban y los hombres se ocupaban activamente en cargar y disparar los cañones.

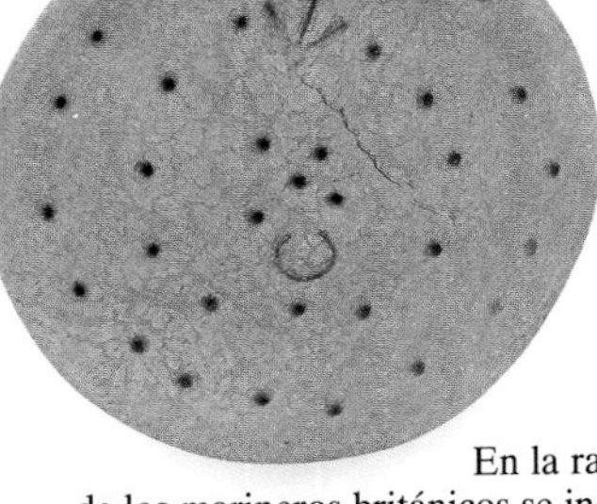

En la ración de los marineros británicos se incluía medio kilo diario de estas galletas, duras como piedras, que se ablandaban con agua de mar.

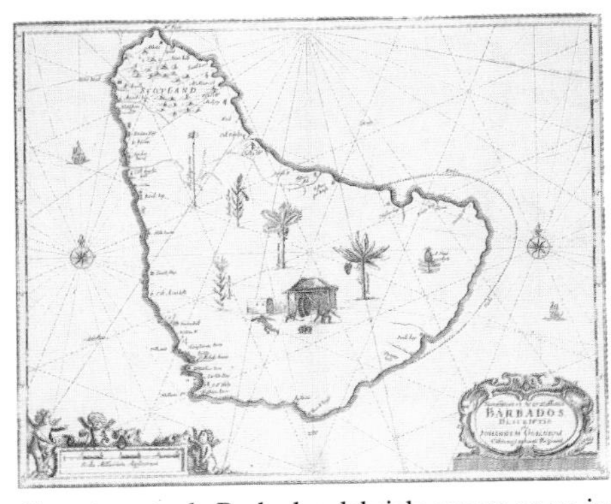

En esta carta de Barbados del siglo XVII se ve un ingenio azucarero en el que trabajan esclavos. Las plantaciones de caña en las Indias Occidentales proporcionaron grandes beneficios a sus propietarios.

Para evitar el escorbuto, debido a la falta de vitamina C, los marineros británicos consumían limones o limas, y por ello los americanos les llamaban «limeys».

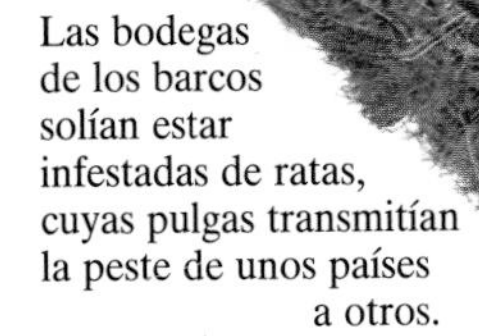

Las bodegas de los barcos solían estar infestadas de ratas, cuyas pulgas transmitían la peste de unos países a otros.

Estas jarras de medida y la pipa de 27 litros servían para repartir la ración diaria de «agua de Barbados», como llamaban los marineros ingleses al ron, que se destila de la caña de azúcar y se llevaba a bordo porque se conservaba mejor que la cerveza. A los marineros se les daba en forma de «grog», mezcla de cuatro partes de agua y una de ron. En otros países lo normal era el vino.

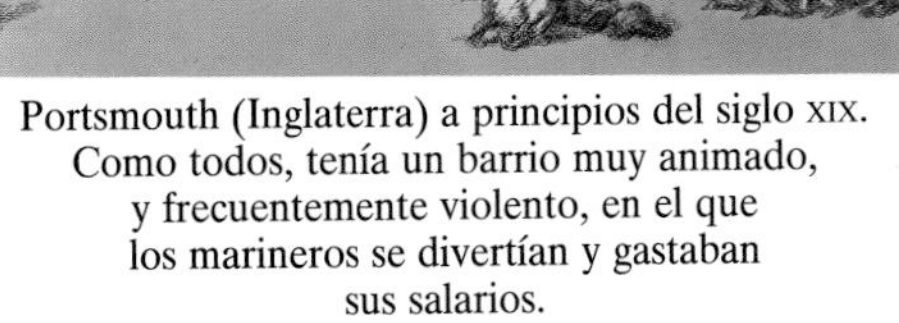

Portsmouth (Inglaterra) a principios del siglo XIX. Como todos, tenía un barrio muy animado, y frecuentemente violento, en el que los marineros se divertían y gastaban sus salarios.

El grabado representa el embarque de barriles de azúcar en la isla Antigua a bordo de una lancha que los llevará al buque fondeado más afuera. A las pocas semanas, este azúcar se vendería en Europa.

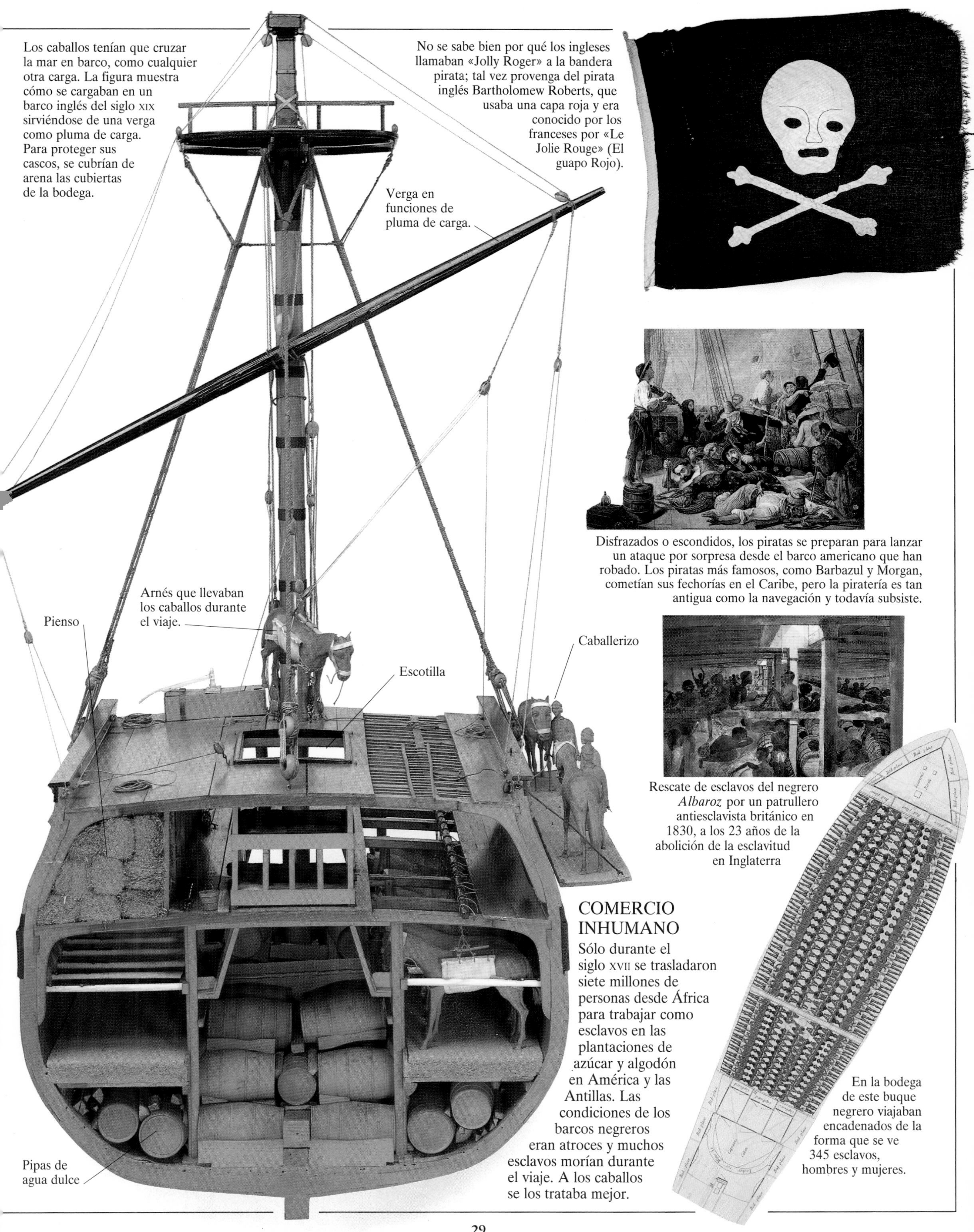

Los caballos tenían que cruzar la mar en barco, como cualquier otra carga. La figura muestra cómo se cargaban en un barco inglés del siglo XIX sirviéndose de una verga como pluma de carga. Para proteger sus cascos, se cubrían de arena las cubiertas de la bodega.

No se sabe bien por qué los ingleses llamaban «Jolly Roger» a la bandera pirata; tal vez provenga del pirata inglés Bartholomew Roberts, que usaba una capa roja y era conocido por los franceses por «Le Jolie Rouge» (El guapo Rojo).

Disfrazados o escondidos, los piratas se preparan para lanzar un ataque por sorpresa desde el barco americano que han robado. Los piratas más famosos, como Barbazul y Morgan, cometían sus fechorías en el Caribe, pero la piratería es tan antigua como la navegación y todavía subsiste.

Rescate de esclavos del negrero *Albaroz* por un patrullero antiesclavista británico en 1830, a los 23 años de la abolición de la esclavitud en Inglaterra

COMERCIO INHUMANO

Sólo durante el siglo XVII se trasladaron siete millones de personas desde África para trabajar como esclavos en las plantaciones de azúcar y algodón en América y las Antillas. Las condiciones de los barcos negreros eran atroces y muchos esclavos morían durante el viaje. A los caballos se los trataba mejor.

En la bodega de este buque negrero viajaban encadenados de la forma que se ve 345 esclavos, hombres y mujeres.

¡Allá sopla!

Vela de hojas de palma entretejidas.

Arpón

Canalete

Guía para el cabo del arpón

AL VER LA columna de vapor que salía del agua, el vigía del ballenero alertaba a todos a la voz de «¡Allá sopla!». Se arriaban los botes y, a remo, se dirigían a arponear la ballena que se había delatado al tener que salir a superficie para respirar. La caza de ballenas se venía haciendo desde hacía siglos con embarcaciones que salían de las playas, para surtir de carne a las poblaciones costeras, pero tuvo su apogeo a principios del siglo XIX por balleneros europeos y americanos que emprendían largas expediciones para perseguir a los gigantes de los océanos. Este cruel exterminio alumbró y lavó a muchas gentes, pues el aceite de ballena se quemaba en lámparas y se usaba para elaborar jabón y cosméticos, hasta que el descubrimiento hacia 1860 del petróleo como aceite más abundante y barato hizo descender la demanda. Pero a pesar de las protestas, algunos países siguen cazando ballenas actualmente para aprovechar su carne.

Los habitantes de Lamalera, en la isla indonesia de Lembata, cazan cachalotes dos o tres veces mayores que su propia embarcación, utilizando arpones lanzados a mano como los balleneros europeos del siglo XIX.

Este modelo de cachalote, tallado en madera por un marinero durante un largo viaje, lleva un arpón de hueso incrustado. La gran cabeza cuadrada del cachalote contiene un líquido céreo, llamado espermaceti, que se usaba para fabricar velas y en cosmética. Las especies de mayor valor comercial fueron la ballena franca y el cachalote, pero las diez especies conocidas de grandes ballenas, entre ellas el mayor animal del mundo, la ballena azul, han sido cazadas hasta casi su extinción.

El bichero se usaba para enganchar casi cualquier cosa, desde una ballena a un cabo. Los arpones tenían puntas articuladas que al clavarse en el cuerpo del animal se abrían quedando firmemente atrapados. La lanza no se arrojaba, sino que se clavaba para rematar a la ballena herida y la cuchilla se usaba para hacer un corte en la cola para amarrar con más seguridad un cabo de remolque.

Arpón

Arpón suplementario

Bichero

Lanza

Cabo

Cuchilla

La ballena se sumergía al ser alcanzada por el arpón unido a un cabo muy largo; entonces podía arrastrar a la ballenera un largo trecho hasta que el cetáceo emergía de nuevo para respirar, lo cual podía repetirse durante varias horas. Cuando el gigante, finalmente exhausto, salía a la superficie por última vez, el bote se acercaba y el arponero lo remataba a lanzadas en el vientre.

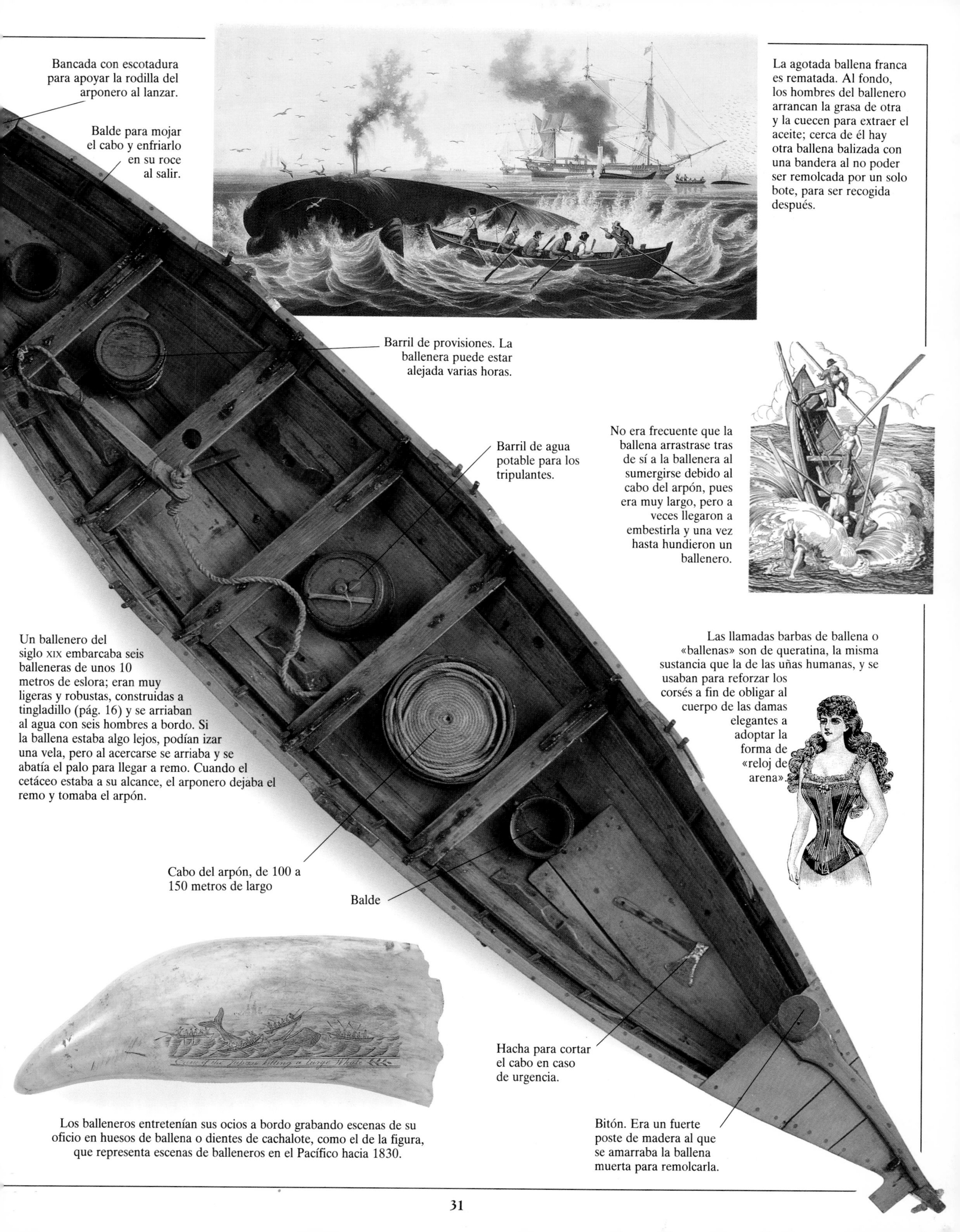

Bancada con escotadura para apoyar la rodilla del arponero al lanzar.

Balde para mojar el cabo y enfriarlo en su roce al salir.

La agotada ballena franca es rematada. Al fondo, los hombres del ballenero arrancan la grasa de otra y la cuecen para extraer el aceite; cerca de él hay otra ballena balizada con una bandera al no poder ser remolcada por un solo bote, para ser recogida después.

Barril de provisiones. La ballenera puede estar alejada varias horas.

Barril de agua potable para los tripulantes.

No era frecuente que la ballena arrastrase tras de sí a la ballenera al sumergirse debido al cabo del arpón, pues era muy largo, pero a veces llegaron a embestirla y una vez hasta hundieron un ballenero.

Un ballenero del siglo XIX embarcaba seis balleneras de unos 10 metros de eslora; eran muy ligeras y robustas, construidas a tingladillo (pág. 16) y se arriaban al agua con seis hombres a bordo. Si la ballena estaba algo lejos, podían izar una vela, pero al acercarse se arriaba y se abatía el palo para llegar a remo. Cuando el cetáceo estaba a su alcance, el arponero dejaba el remo y tomaba el arpón.

Las llamadas barbas de ballena o «ballenas» son de queratina, la misma sustancia que la de las uñas humanas, y se usaban para reforzar los corsés a fin de obligar al cuerpo de las damas elegantes a adoptar la forma de «reloj de arena».

Cabo del arpón, de 100 a 150 metros de largo

Balde

Hacha para cortar el cabo en caso de urgencia.

Los balleneros entretenían sus ocios a bordo grabando escenas de su oficio en huesos de ballena o dientes de cachalote, como el de la figura, que representa escenas de balleneros en el Pacífico hacia 1830.

Bitón. Era un fuerte poste de madera al que se amarraba la ballena muerta para remolcarla.

Un toque de color

LA GENTE SIENTE PARTICULAR AFECTO por sus embarcaciones, pues de ellas dependen sus vidas. Los barcos solían adornarse a menudo con pinturas o minuciosos tallados para embellecerlos o darles un aspecto personalizado. En los buques de vela era tradicional el mascarón de proa, tallado o pintado, que con frecuencia hacía referencia al nombre del barco. Por el contrario, los actuales buques de propulsión mecánica apenas muestran decoración alguna.

El caperol de acero de la góndola (pág. 34) protege su proa y sirve de contrapeso al gondolero que va a popa. Los seis dientes significan los seis barrios en que se divide Venecia.

Esta cabeza de ganso, fundida en bronce en el siglo I de nuestra era, adornaba probablemente la popa de un pequeño barco mercante romano.

Esta cabeza de un animal fabuloso, medio perro medio pez, adornaba la proa de una falúa construida en el siglo XVIII para la familia real británica.

En esta moneda se muestra la proa de un barco de guerra con su «oculus» (ojo) pintado. Se acuñó para conmemorar la victoria de Salamina (306 a. de C.)

Horquilla de botavara para una barca de pesca de Surabaya (Indonesia).

Adorno para una canoa de la isla septentrional de Nueva Zelanda tallado por un artesano maorí del siglo XV.

Este espejo de popa tan coloreado pertenece a una *jangola* de madera, embarcación que se dedica a transportar sal entre la isla indonesia de Madura y el continente.

Este mascarón representando al presidente norteamericano Abraham Lincoln se encontró en una playa de las islas Scilly, al suroeste de Inglaterra. Nadie sabe de qué barco procedía, cómo se hundió ni qué fue de su tripulación.

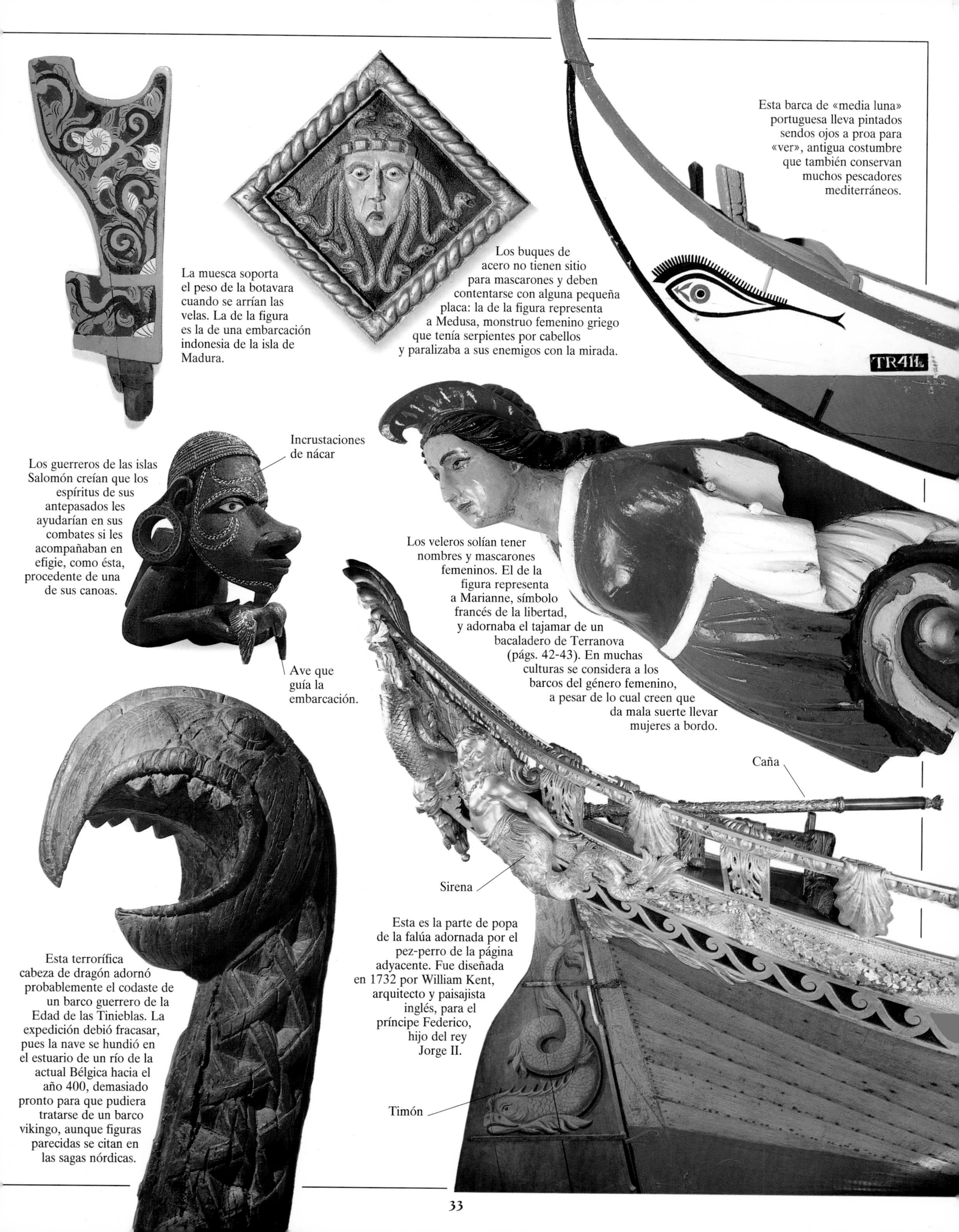

La muesca soporta el peso de la botavara cuando se arrían las velas. La de la figura es la de una embarcación indonesia de la isla de Madura.

Los buques de acero no tienen sitio para mascarones y deben contentarse con alguna pequeña placa: la de la figura representa a Medusa, monstruo femenino griego que tenía serpientes por cabellos y paralizaba a sus enemigos con la mirada.

Esta barca de «media luna» portuguesa lleva pintados sendos ojos a proa para «ver», antigua costumbre que también conservan muchos pescadores mediterráneos.

Los guerreros de las islas Salomón creían que los espíritus de sus antepasados les ayudarían en sus combates si les acompañaban en efigie, como ésta, procedente de una de sus canoas.

Los veleros solían tener nombres y mascarones femeninos. El de la figura representa a Marianne, símbolo francés de la libertad, y adornaba el tajamar de un bacaladero de Terranova (págs. 42-43). En muchas culturas se considera a los barcos del género femenino, a pesar de lo cual creen que da mala suerte llevar mujeres a bordo.

Esta terrorífica cabeza de dragón adornó probablemente el codaste de un barco guerrero de la Edad de las Tinieblas. La expedición debió fracasar, pues la nave se hundió en el estuario de un río de la actual Bélgica hacia el año 400, demasiado pronto para que pudiera tratarse de un barco vikingo, aunque figuras parecidas se citan en las sagas nórdicas.

Esta es la parte de popa de la falúa adornada por el pez-perro de la página adyacente. Fue diseñada en 1732 por William Kent, arquitecto y paisajista inglés, para el príncipe Federico, hijo del rey Jorge II.

Aguas confinadas

La góndola es más ancha a una banda, la de babor, que a la otra, lo que hace que el gondolero pueda bogar siempre con un solo remo sin que se desvíe de la línea recta.

SIEMPRE HA SIDO MÁS BARATO TRANSPORTAR personas y mercancías por el agua que por tierra. Muchos países tienen ríos, lagos o lagunas y otras vías acuáticas naturales y algunos las han ampliado construyendo redes de canales por los que se mueven barcazas a vela, vapor, con motores o remolcadas; los grandes canales, como los de Suez o Panamá, se construyeron para acortar los viajes de los buques oceánicos. Para moverse por estas vías acuáticas interiores se han construido embarcaciones especiales, algunas muy maniobrables para evolucionar en espacios limitados, como la asimétrica góndola que lleva pasajeros por los estrechos canales de Venecia; muchas tienen el fondo plano para poder vararlas sin daño o sin volcar; además, el fondo plano permite mayor capacidad de carga, aunque la falta de quilla las hace difíciles de manejar en aguas agitadas. Por ello, ciertas embarcaciones de los canales tienen orzas laterales rebatibles que las hacen más marineras.

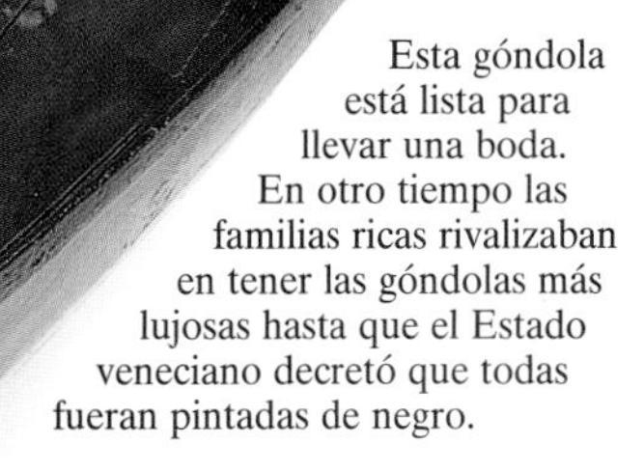

Popa en punta

Esta góndola está lista para llevar una boda. En otro tiempo las familias ricas rivalizaban en tener las góndolas más lujosas hasta que el Estado veneciano decretó que todas fueran pintadas de negro.

En la superpoblada isla de Hong Kong mucha gente vive a bordo de pequeñas embarcaciones de fondo plano llamadas juncos (págs. 24-25) o sampanes.

Los canales marítimos, como el de Corinto, que une el golfo de este nombre con el de Salónica, son ejemplos de cómo hacer que las vías marítimas se adapten a los barcos y no a la inversa.

A lo largo de los canales construidos en Inglaterra durante los siglos XVIII y XIX hay «caminos de sirga» para que las estrechas barcazas puedan ser remolcadas por caballos.

Este sampán chino recoge las capturas de los pescadores del lago Donting, transporta el pescado vivo en compartimentos inundados y lo lleva al mercado aguas abajo en el río Yangtsé. Los incontables kilómetros de ríos, lagos y canales de China han propiciado la aparición de cientos de tipos de sampanes.

Soporte para la capota de lluvia

Toldo corredizo

Pértiga de bambú para impulsar la embarcación

Popa abierta para montar dos motores fuera borda

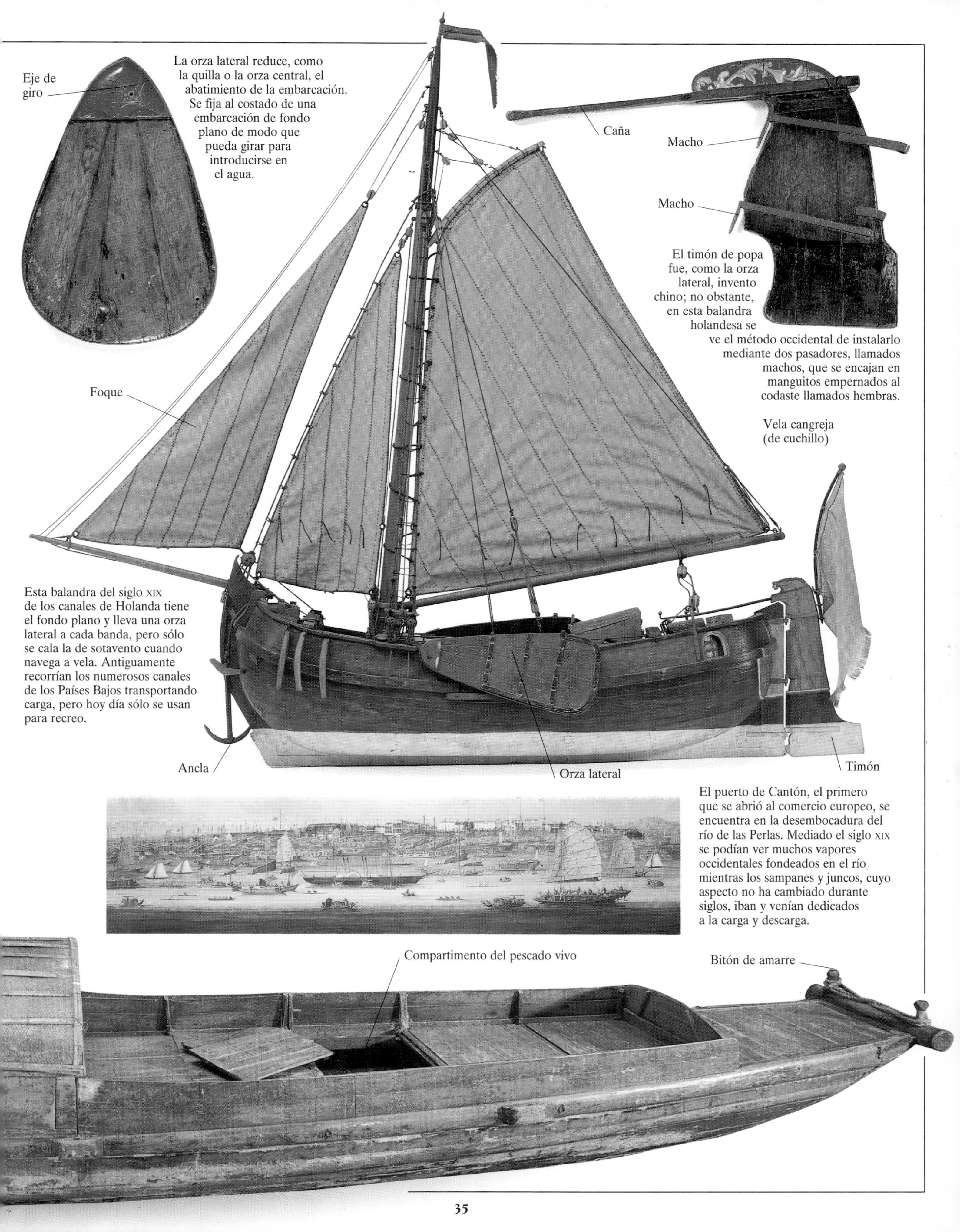

La orza lateral reduce, como la quilla o la orza central, el abatimiento de la embarcación. Se fija al costado de una embarcación de fondo plano de modo que pueda girar para introducirse en el agua.

El timón de popa fue, como la orza lateral, invento chino; no obstante, en esta balandra holandesa se ve el método occidental de instalarlo mediante dos pasadores, llamados machos, que se encajan en manguitos empernados al codaste llamados hembras.

Esta balandra del siglo XIX de los canales de Holanda tiene el fondo plano y lleva una orza lateral a cada banda, pero sólo se cala la de sotavento cuando navega a vela. Antiguamente recorrían los numerosos canales de los Países Bajos transportando carga, pero hoy día sólo se usan para recreo.

El puerto de Cantón, el primero que se abrió al comercio europeo, se encuentra en la desembocadura del río de las Perlas. Mediado el siglo XIX se podían ver muchos vapores occidentales fondeados en el río mientras los sampanes y juncos, cuyo aspecto no ha cambiado durante siglos, iban y venían dedicados a la carga y descarga.

Vapores de ruedas

AL COMENZAR, a fines del siglo XVIII, el desarrollo de las máquinas de vapor, ingenieros e inventores probaron nuevos sistemas mecánicos para propulsar embarcaciones. El primero fue la rueda de paletas, que al girar empujaba el agua hacia atrás. Los vapores de ruedas eran muy maniobrables y pronto se difundieron por todo el mundo, adaptándose principalmente a las aguas poco profundas; entre ellos se distinguieron los elegantes vapores del Mississippi, que aún resisten el paso del tiempo, como el *Mississippi Queen*, el mayor del mundo en su clase. Pero para los buques oceánicos la hélice desplazó a la rueda definitivamente.

Los vapores de ruedas eran demasiado anchos para navegar por ríos angostos. En *La Reina de África,* Humphrey Bogart y Katharine Hepburn pasan bastantes apuros navegando con un pequeño vapor de hélice por los ríos de África Oriental.

Los vapores del Mississippi fueron en su día tan lujosos como los grandes transatlánticos de después (págs. 54-57), pero eran ante todo barcos de carga que embarcaban y descargaban mercancías en cincuenta escalas desde Memphis hasta Nueva Orleáns.

En lugar de una rueda a cada banda, este vapor lleva una sola a popa, lo que le permite navegar por aguas menos profundas. Se trata de un réplica moderna del *Natchez,* que en su primer año (1894) realizó 50 viajes entre Nueva Orleáns y Vickersburg transportando más de 50.000 balas de algodón.

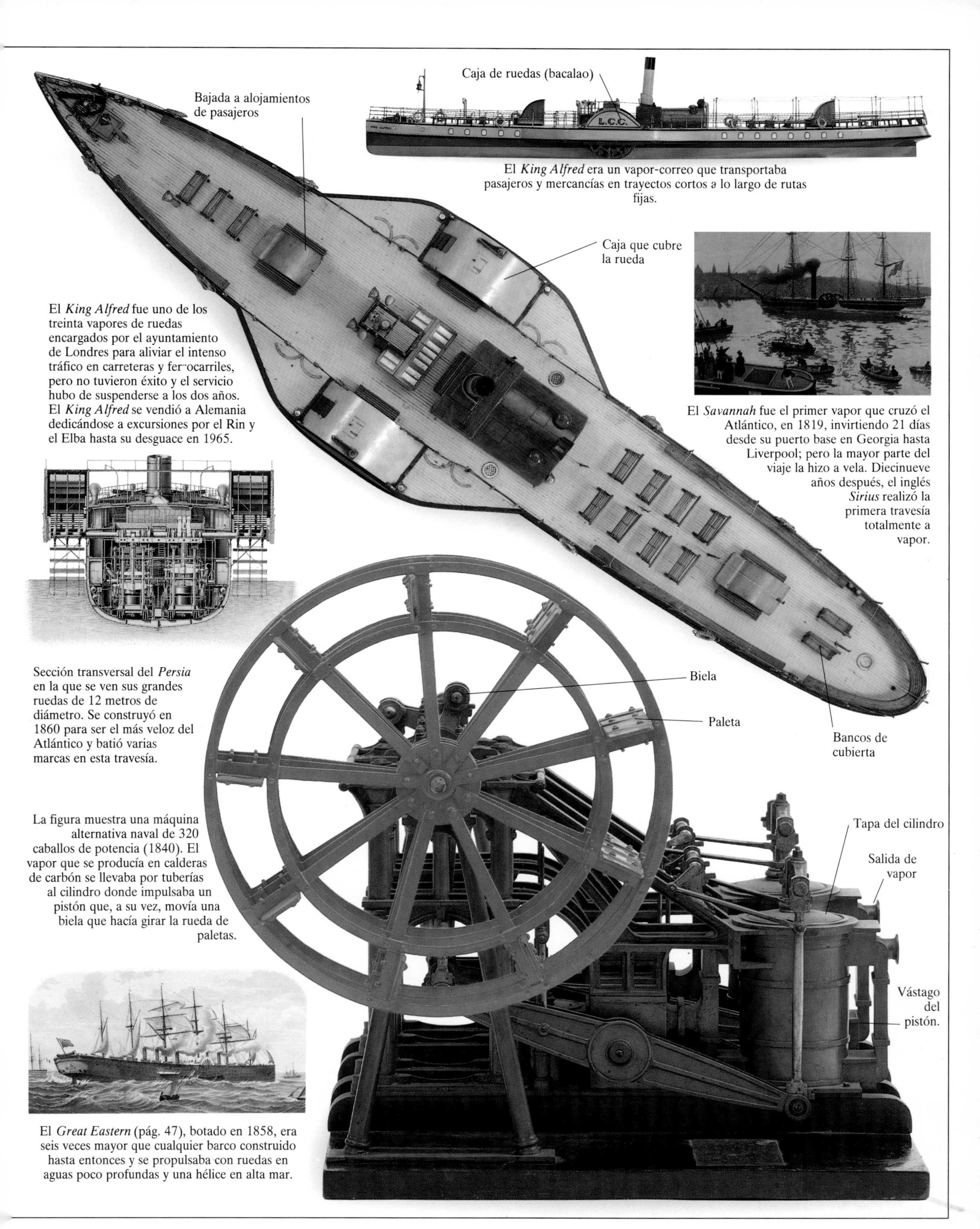

El *King Alfred* era un vapor-correo que transportaba pasajeros y mercancías en trayectos cortos a lo largo de rutas fijas.

El *King Alfred* fue uno de los treinta vapores de ruedas encargados por el ayuntamiento de Londres para aliviar el intenso tráfico en carreteras y fer¨ocarriles, pero no tuvieron éxito y el servicio hubo de suspenderse a los dos años. El *King Alfred* se vendió a Alemania dedicándose a excursiones por el Rin y el Elba hasta su desguace en 1965.

El *Savannah* fue el primer vapor que cruzó el Atlántico, en 1819, invirtiendo 21 días desde su puerto base en Georgia hasta Liverpool; pero la mayor parte del viaje la hizo a vela. Diecinueve años después, el inglés *Sirius* realizó la primera travesía totalmente a vapor.

Sección transversal del *Persia* en la que se ven sus grandes ruedas de 12 metros de diámetro. Se construyó en 1860 para ser el más veloz del Atlántico y batió varias marcas en esta travesía.

La figura muestra una máquina alternativa naval de 320 caballos de potencia (1840). El vapor que se producía en calderas de carbón se llevaba por tuberías al cilindro donde impulsaba un pistón que, a su vez, movía una biela que hacía girar la rueda de paletas.

El *Great Eastern* (pág. 47), botado en 1858, era seis veces mayor que cualquier barco construido hasta entonces y se propulsaba con ruedas en aguas poco profundas y una hélice en alta mar.

Giros de hélice

El inventor sueco John Ericsson desarrolló una hélice en forma de sacacorchos que, tras algunas pruebas en Inglaterra, se aplicó con éxito a vapores fluviales norteamericanos.

EN 1845 COMPITIERON en una prueba un vapor de ruedas y otro de hélice demostrándose éste más potente al ser capaz de remolcar al de ruedas haciéndole ir hacia atrás de popa. Por entonces se trabajaba en el perfeccionamiento de la hélice, haciéndolo entre otros John Ericsson y Francis Pettit Smith, aunque la idea en sí era más antigua: ya los griegos elevaban agua por medio de la hélice de Arquímedes, parecida a un sacacorchos; otras eran una versión acortada del mismo sistema mientras que había otra versión consistente en palas alabeadas montadas sobre un núcleo o cubo. Las hélices modernas tienen esta última forma y, excepto las mayores, suelen tener de dos a cuatro palas.

La figura muestra una hélice cuatripala, el modelo mejor logrado hasta 1860, en que los ingenieros averiguaron que las puntas redondeadas mejoraban su eficacia al reducir vibraciones.

Esta clase de «máquinas-compound» estuvo muy en boga hasta finales del siglo XIX. Su diferencia con las simples consistía en un segundo cilindro que recibía el vapor que salía del primero: ambos impulsaban sendos pistones de alta y baja presión. El paso siguiente fue la máquina de triple expansión, con cilindros de alta, media y baja presión.

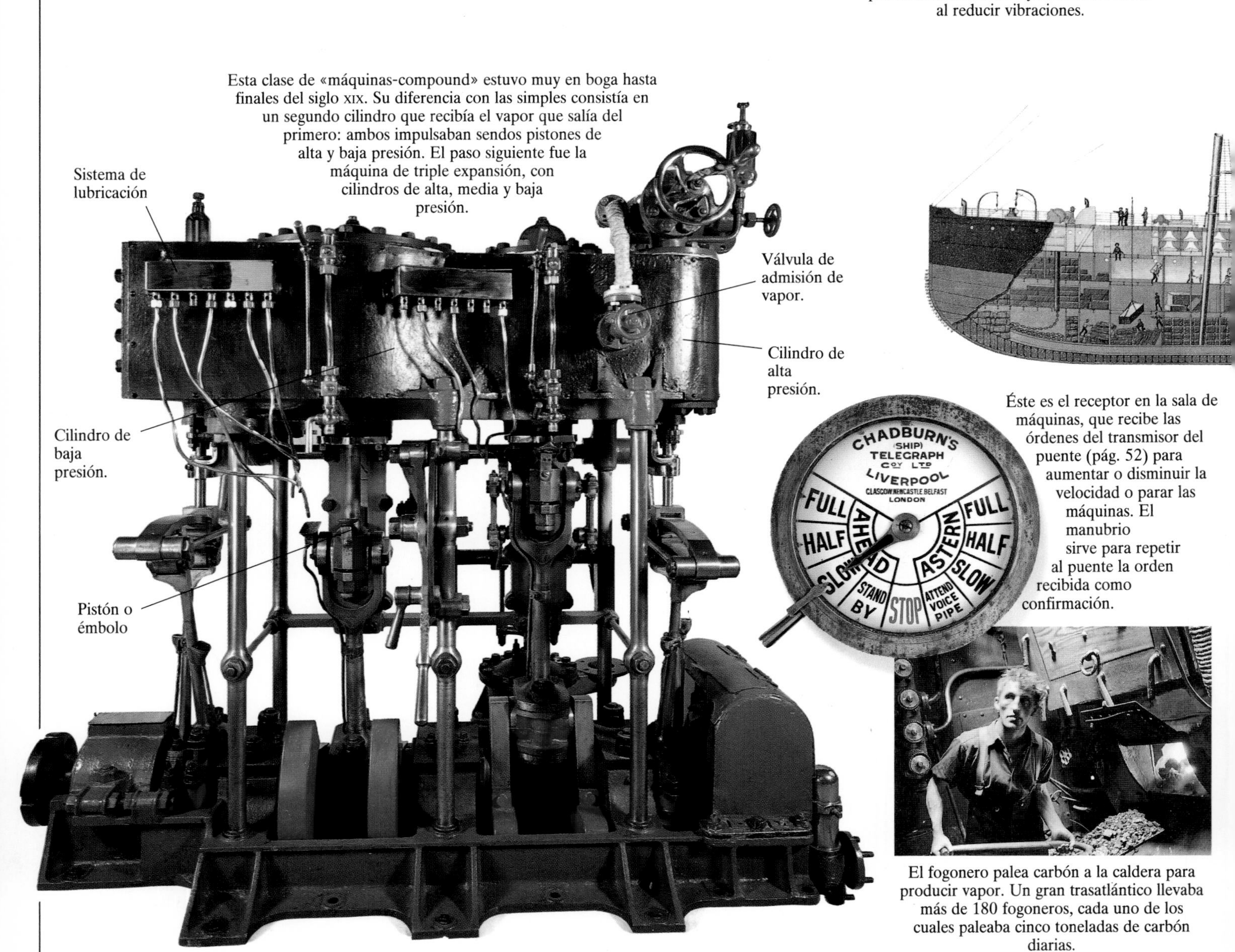

Éste es el receptor en la sala de máquinas, que recibe las órdenes del transmisor del puente (pág. 52) para aumentar o disminuir la velocidad o parar las máquinas. El manubrio sirve para repetir al puente la orden recibida como confirmación.

El fogonero palea carbón a la caldera para producir vapor. Un gran trasatlántico llevaba más de 180 fogoneros, cada uno de los cuales paleaba cinco toneladas de carbón diarias.

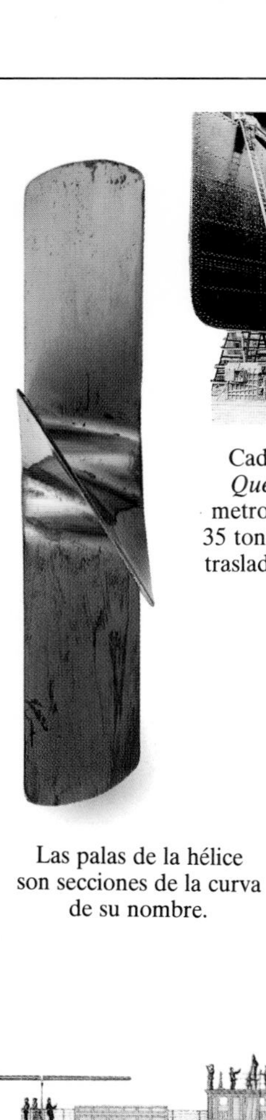

Las palas de la hélice son secciones de la curva de su nombre.

Cada una de las cuatro hélices del *Queen Mary* (pág. 55) tenía cinco metros y medio de diámetro y pesaba 35 toneladas. Se fundieron en Londres, trasladándolas al astillero del río Clyde para su instalación.

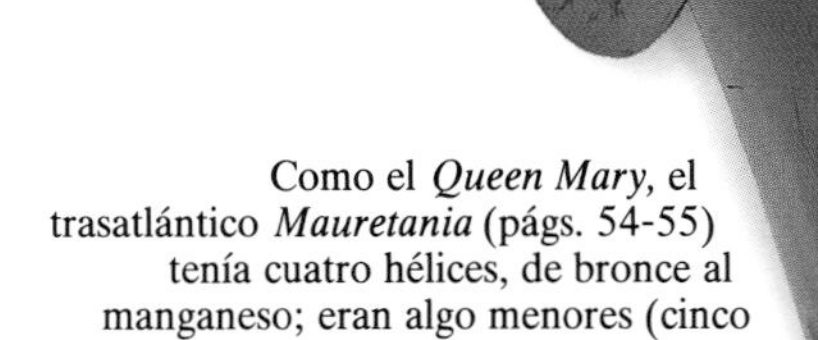

Como el *Queen Mary,* el trasatlántico *Mauretania* (págs. 54-55) tenía cuatro hélices, de bronce al manganeso; eran algo menores (cinco metros de diámetro), pero pesaban sólo 18,5 toneladas.

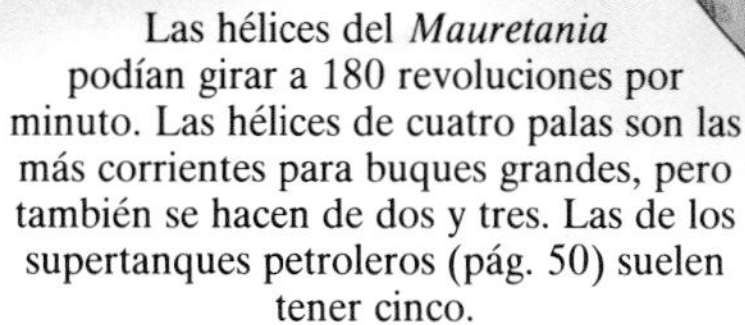

Las hélices del *Mauretania* podían girar a 180 revoluciones por minuto. Las hélices de cuatro palas son las más corrientes para buques grandes, pero también se hacen de dos y tres. Las de los supertanques petroleros (pág. 50) suelen tener cinco.

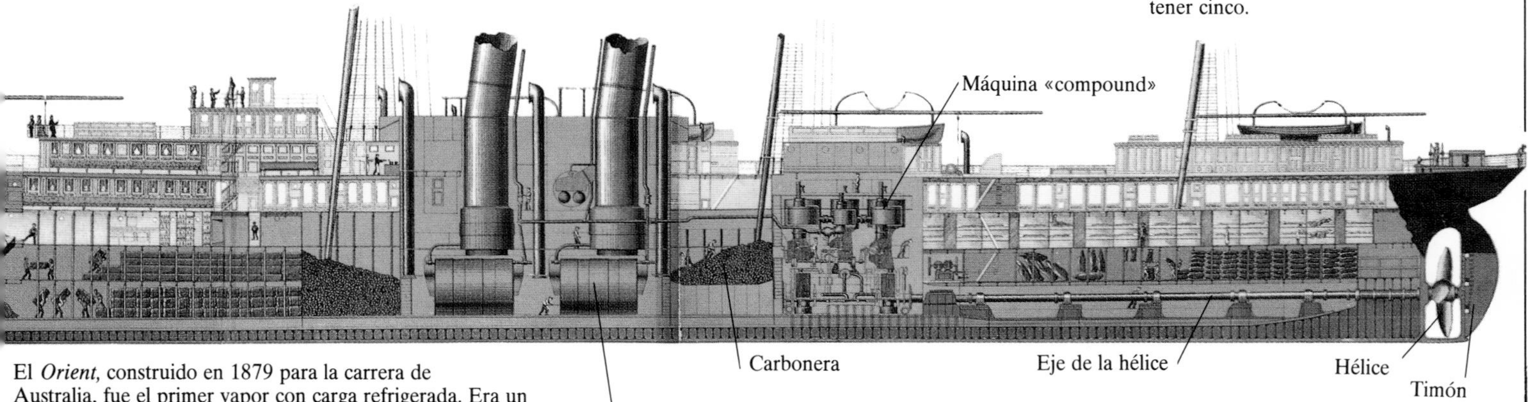

El *Orient,* construido en 1879 para la carrera de Australia, fue el primer vapor con carga refrigerada. Era un buque de una sola hélice movida por una máquina «compound» y en sus pruebas alcanzó un promedio de 15,5 nudos (29 km/h).

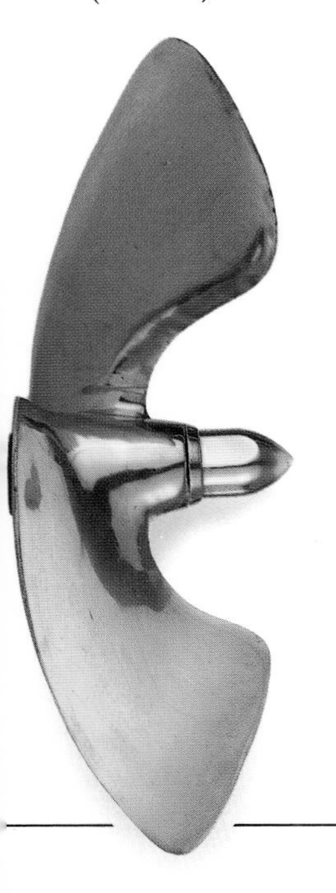

Esta hélice para pequeñas embarcaciones de recreo que navegan en las aguas someras de marjales y riachuelos tiene una forma tan especial para que no se enrede entre algas.

Las dos hélices del *Teutonic* se solapaban, pero no se interferían porque la de babor estaba 1,8 metros adelantada respecto a la de estribor.

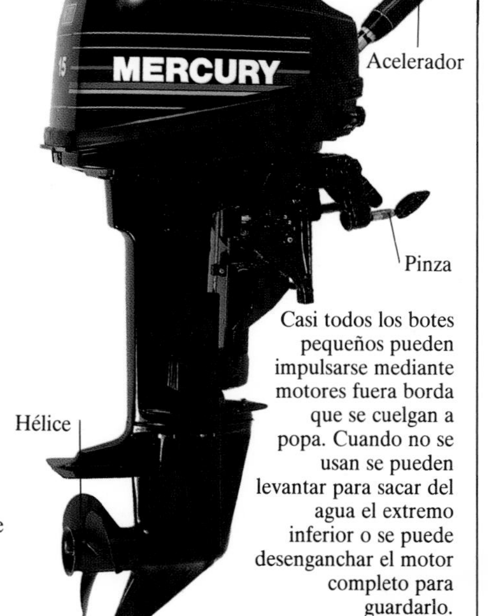

Casi todos los botes pequeños pueden impulsarse mediante motores fuera borda que se cuelgan a popa. Cuando no se usan se pueden levantar para sacar del agua el extremo inferior o se puede desenganchar el motor completo para guardarlo.

Los últimos veleros mercantes

AL CRECER EL COMERCIO MUNDIAL en el siglo XIX se hicieron necesarios barcos mayores y más veloces. Los astilleros norteamericanos diseñaron un nuevo tipo de velero, el clipper, que recorrió los siete mares a velocidades no logradas hasta entonces, y los ingleses les imitaron pronto, principalmente para la importación del té de China. Posteriormente se construyeron también barcos de cuatro palos más lentos, pero mayores. Sin embargo, los buques de vapor eran cada vez más eficaces y la apertura del canal de Suez en 1869 les dio gran impulso: al no poder pasar por este atajo hacia Oriente, los veleros tuvieron que especializarse en el comercio con otros países remotos; llevaron carbón a Suramérica volviendo a Europa cargados con abonos naturales y traían lana y trigo de Australia. Pero ya en 1939 esto resultaba antieconómico, pues los vapores podían hacerlo más rápidamente y a menor coste. La era de la vela había terminado.

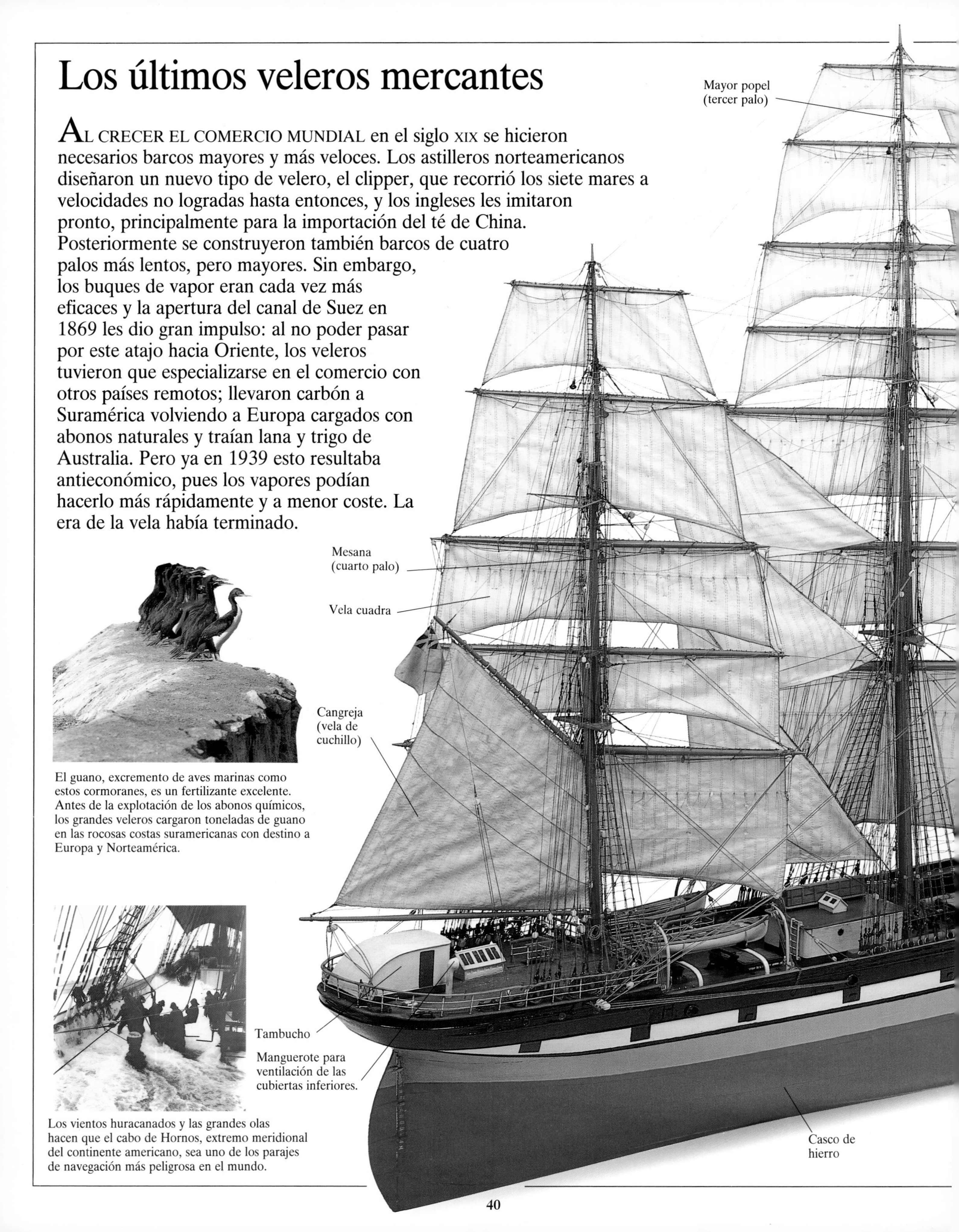

El guano, excremento de aves marinas como estos cormoranes, es un fertilizante excelente. Antes de la explotación de los abonos químicos, los grandes veleros cargaron toneladas de guano en las rocosas costas suramericanas con destino a Europa y Norteamérica.

Los vientos huracanados y las grandes olas hacen que el cabo de Hornos, extremo meridional del continente americano, sea uno de los parajes de navegación más peligrosa en el mundo.

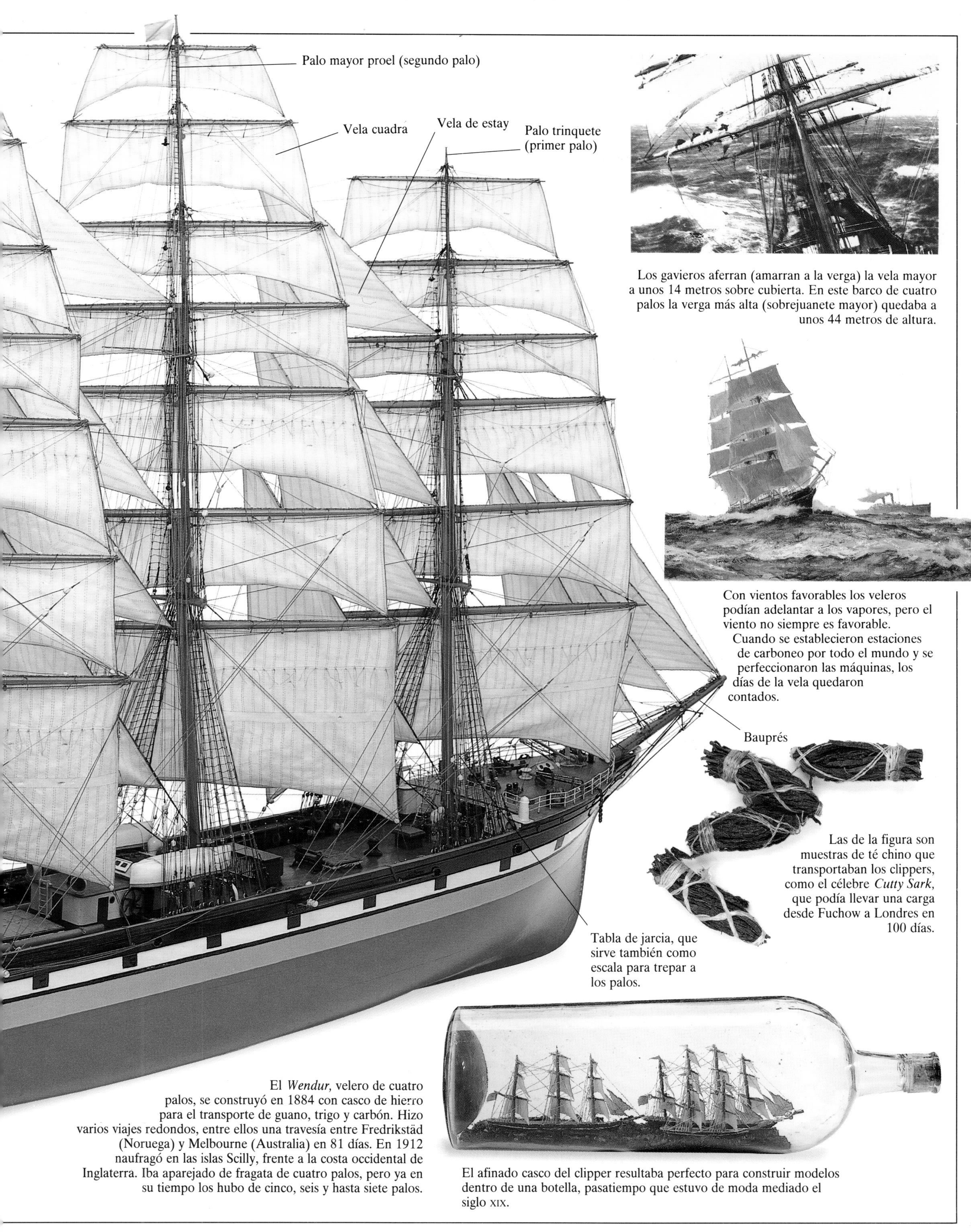

Los gavieros aferran (amarran a la verga) la vela mayor a unos 14 metros sobre cubierta. En este barco de cuatro palos la verga más alta (sobrejuanete mayor) quedaba a unos 44 metros de altura.

Con vientos favorables los veleros podían adelantar a los vapores, pero el viento no siempre es favorable. Cuando se establecieron estaciones de carboneo por todo el mundo y se perfeccionaron las máquinas, los días de la vela quedaron contados.

Las de la figura son muestras de té chino que transportaban los clippers, como el célebre *Cutty Sark*, que podía llevar una carga desde Fuchow a Londres en 100 días.

El *Wendur,* velero de cuatro palos, se construyó en 1884 con casco de hierro para el transporte de guano, trigo y carbón. Hizo varios viajes redondos, entre ellos una travesía entre Fredrikstäd (Noruega) y Melbourne (Australia) en 81 días. En 1912 naufragó en las islas Scilly, frente a la costa occidental de Inglaterra. Iba aparejado de fragata de cuatro palos, pero ya en su tiempo los hubo de cinco, seis y hasta siete palos.

El afinado casco del clipper resultaba perfecto para construir modelos dentro de una botella, pasatiempo que estuvo de moda mediado el siglo XIX.

Anzuelo, sedal y plomo

DONDE HAY AGUA, HAY PECES, y donde hay peces se pesca. Los pesqueros y las técnicas para localizar la pesca progresan constantemente, pero sus fundamentos no han cambiado durante siglos. Los peces superficiales o de poca profundidad se reúnen frecuentemente en grupos numerosos llamados cardúmenes y es más fácil pescarlos con redes. Algunas barcas de pesca llevan sus redes desde la playa formando un amplio cerco para volver a ella, cobrándose entonces desde tierra; otras pescan al arrastre, remolcándolas tras sí. En otros casos se pesca con anzuelos ocultos por un cebo apetitoso que se sumerge para enganchar a los peces que viven cerca del fondo. Además, pueden fondearse trampas que quedan en el fondo (nasas) para atrapar principalmente mariscos.

La pesca con anzuelo y sedal era el método más corriente en el Pacífico según se ve en este dibujo de una canoa maorí (Nueva Zelanda). En todas partes la pesca atrae la atención de las voraces aves marinas.

Estos atunes se pescan con grandes anzuelos y sedales muy resistentes. La pesca del atún suele hacerse con redes (como las almadrabas), pero las protestas por el gran número de delfines que matan accidentalmente han llevado a intensificar la pesca con anzuelo.

Hace dos mil años los romanos cebaban estos anzuelos para pescar en el golfo de Nápoles. Hoy se usan unos casi idénticos.

El bacalao
puede alcanzar hasta 23 kilos de peso. Vive en aguas profundas pero en otoño se acerca a las costas. Se pesca en el litoral de Noruega, Islandia, Groenlandia, en los bancos próximos a Terranova y en el Pacífico en el mar de Bering.

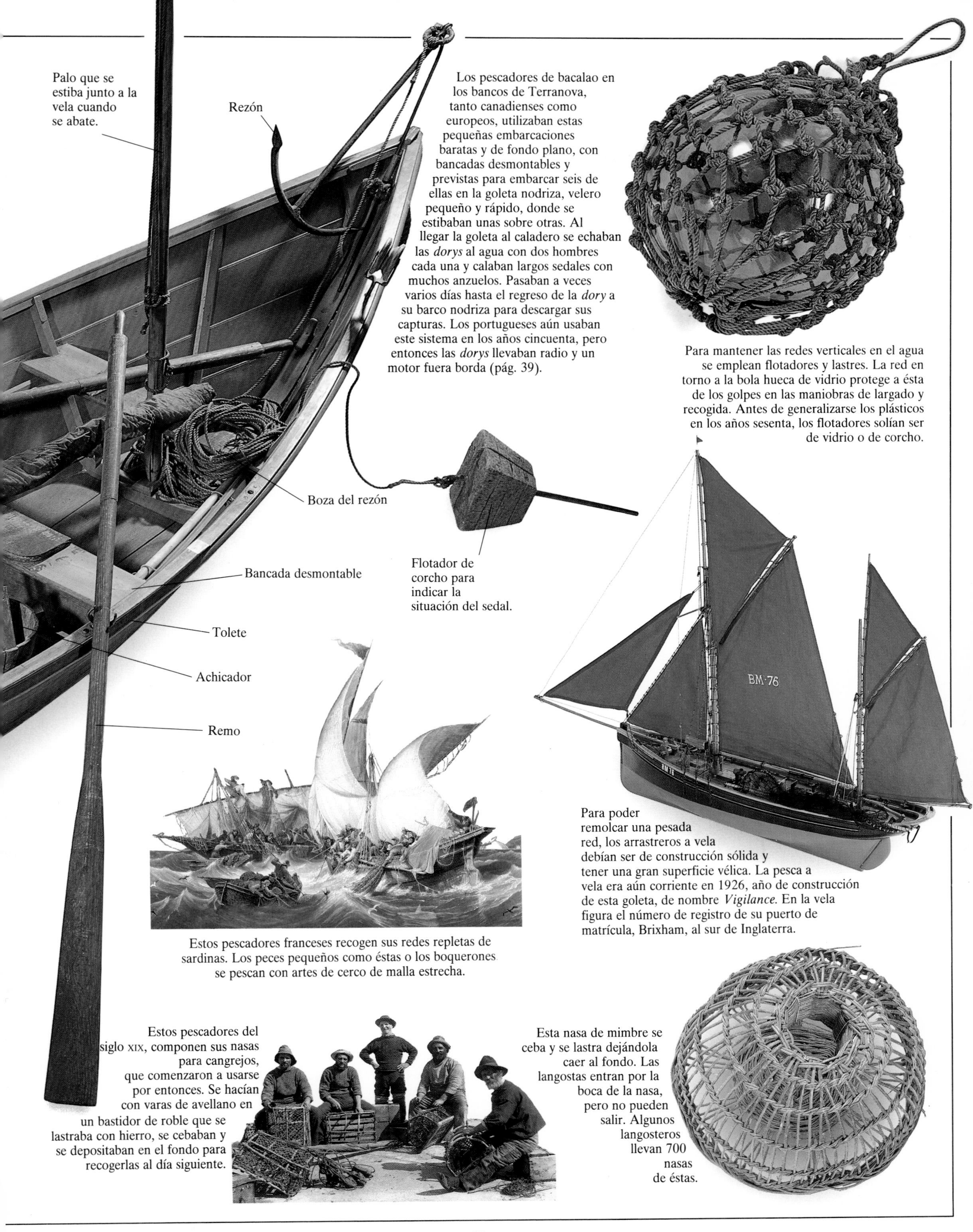

Los pescadores de bacalao en los bancos de Terranova, tanto canadienses como europeos, utilizaban estas pequeñas embarcaciones baratas y de fondo plano, con bancadas desmontables y previstas para embarcar seis de ellas en la goleta nodriza, velero pequeño y rápido, donde se estibaban unas sobre otras. Al llegar la goleta al caladero se echaban las *dorys* al agua con dos hombres cada una y calaban largos sedales con muchos anzuelos. Pasaban a veces varios días hasta el regreso de la *dory* a su barco nodriza para descargar sus capturas. Los portugueses aún usaban este sistema en los años cincuenta, pero entonces las *dorys* llevaban radio y un motor fuera borda (pág. 39).

Para mantener las redes verticales en el agua se emplean flotadores y lastres. La red en torno a la bola hueca de vidrio protege a ésta de los golpes en las maniobras de largado y recogida. Antes de generalizarse los plásticos en los años sesenta, los flotadores solían ser de vidrio o de corcho.

Para poder remolcar una pesada red, los arrastreros a vela debían ser de construcción sólida y tener una gran superficie vélica. La pesca a vela era aún corriente en 1926, año de construcción de esta goleta, de nombre *Vigilance.* En la vela figura el número de registro de su puerto de matrícula, Brixham, al sur de Inglaterra.

Estos pescadores franceses recogen sus redes repletas de sardinas. Los peces pequeños como éstas o los boquerones se pescan con artes de cerco de malla estrecha.

Estos pescadores del siglo XIX, componen sus nasas para cangrejos, que comenzaron a usarse por entonces. Se hacían con varas de avellano en un bastidor de roble que se lastraba con hierro, se cebaban y se depositaban en el fondo para recogerlas al día siguiente.

Esta nasa de mimbre se ceba y se lastra dejándola caer al fondo. Las langostas entran por la boca de la nasa, pero no pueden salir. Algunos langosteros llevan 700 nasas de éstas.

Así es el «copo» de una red de arrastre. Consiste en una bolsa desmontable a la que se unen unas largas alas; al arrastrarla tirando de los cables unidos a las alas la red adopta la forma de un enorme embudo.

TRAMPAS Y BOLSAS

Las redes se hacen de muchos tamaños y de diversos materiales. Los nativos de Nueva Guinea pescaban con salabres fabricados con telas de araña muy fuertes mientras que los arrastreros modernos remolcan kilómetros de redes de fibra sintética. Pero todas las redes funcionan de dos maneras: o bien tienen mallas anchas en las que los peces quedan prendidos al tratar de atravesarlas o bien son de malla estrecha y embolsan cardúmenes enteros de pescado; algunas veces, como la almadraba, son fijas y se instalan en un paraje determinado para que los peces se metan en ellas o, como las artes de cerco o arrastre, se remolcan en seguimiento de los bancos de pesca.

En este pesquero alemán, de nombre *Österreich,* se está llevando una gran red por medio de chigres instalados a popa. Este sistema de pesca de arrastre es muy corriente y productivo en el norte de Europa y no son infrecuentes capturas de 80 toneladas de arenques en veinte minutos.

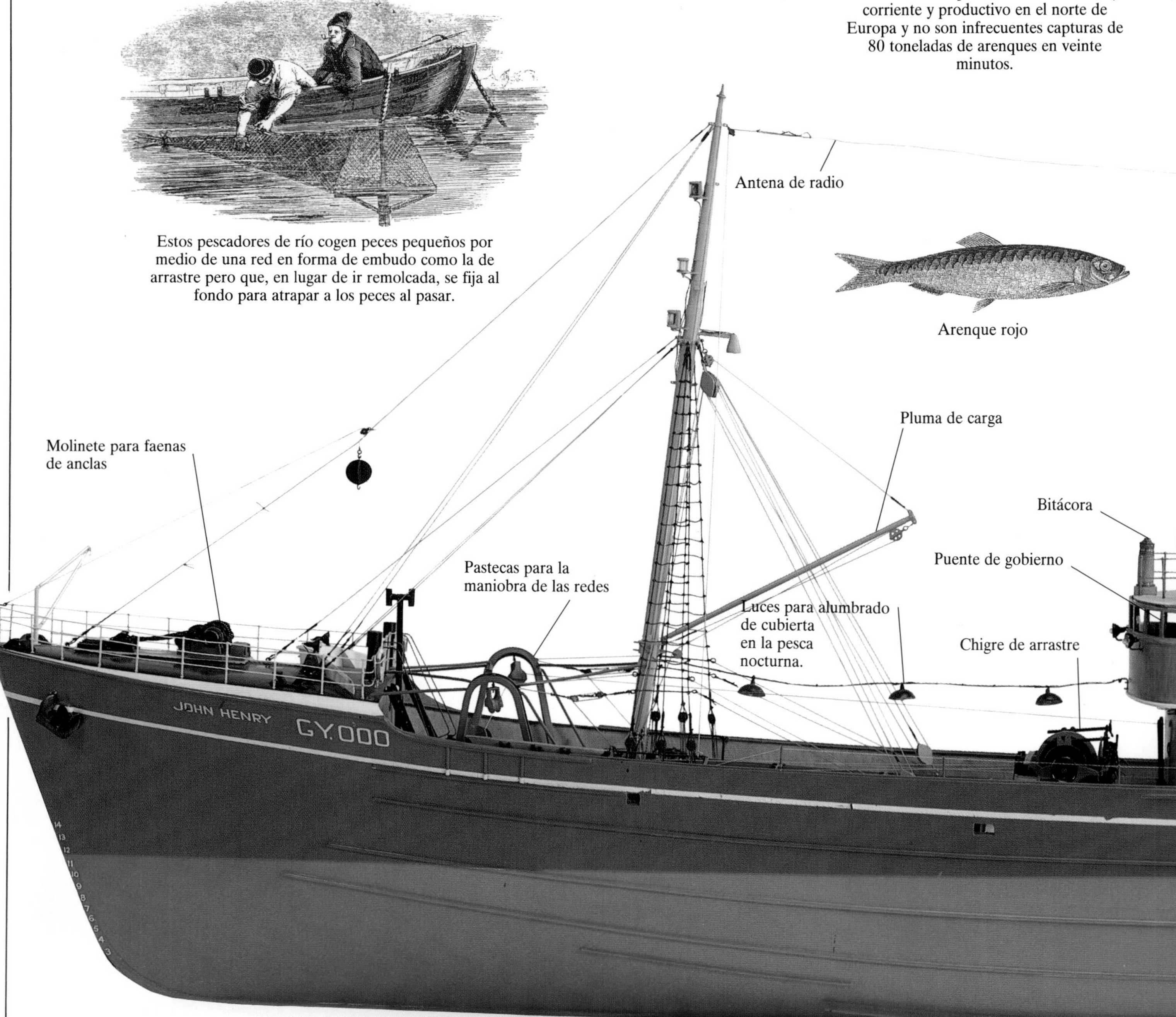

Estos pescadores de río cogen peces pequeños por medio de una red en forma de embudo como la de arrastre pero que, en lugar de ir remolcada, se fija al fondo para atrapar a los peces al pasar.

Arenque rojo

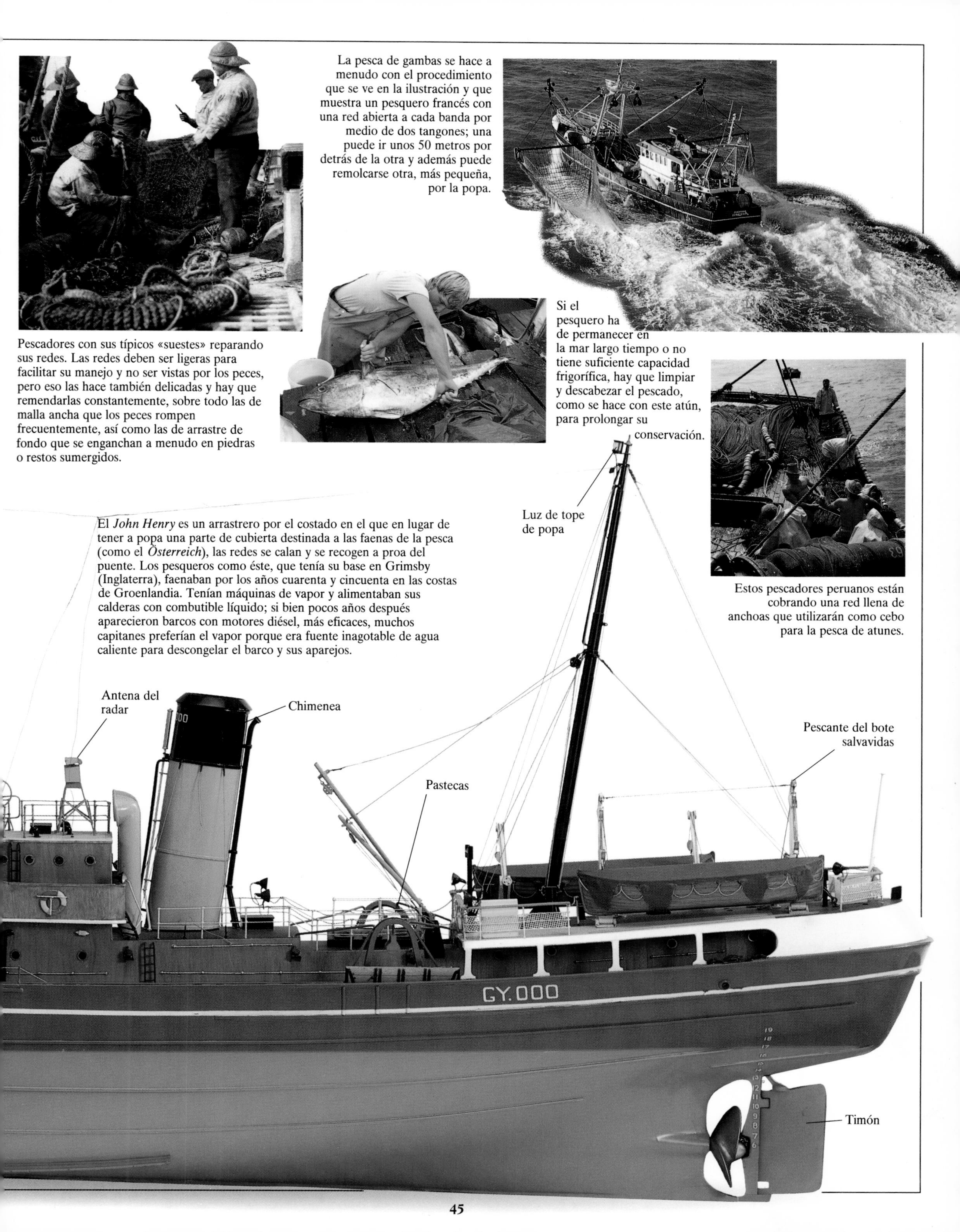

Pescadores con sus típicos «suestes» reparando sus redes. Las redes deben ser ligeras para facilitar su manejo y no ser vistas por los peces, pero eso las hace también delicadas y hay que remendarlas constantemente, sobre todo las de malla ancha que los peces rompen frecuentemente, así como las de arrastre de fondo que se enganchan a menudo en piedras o restos sumergidos.

La pesca de gambas se hace a menudo con el procedimiento que se ve en la ilustración y que muestra un pesquero francés con una red abierta a cada banda por medio de dos tangones; una puede ir unos 50 metros por detrás de la otra y además puede remolcarse otra, más pequeña, por la popa.

Si el pesquero ha de permanecer en la mar largo tiempo o no tiene suficiente capacidad frigorífica, hay que limpiar y descabezar el pescado, como se hace con este atún, para prolongar su conservación.

Estos pescadores peruanos están cobrando una red llena de anchoas que utilizarán como cebo para la pesca de atunes.

El *John Henry* es un arrastrero por el costado en el que en lugar de tener a popa una parte de cubierta destinada a las faenas de la pesca (como el *Österreich*), las redes se calan y se recogen a proa del puente. Los pesqueros como éste, que tenía su base en Grimsby (Inglaterra), faenaban por los años cuarenta y cincuenta en las costas de Groenlandia. Tenían máquinas de vapor y alimentaban sus calderas con combustible líquido; si bien pocos años después aparecieron barcos con motores diésel, más eficaces, muchos capitanes preferían el vapor porque era fuente inagotable de agua caliente para descongelar el barco y sus aparejos.

Construcción en hierro y acero

EN UN ASTILLERO SE EMPLEAN cientos de trabajadores: remachadores, caldereros, electricistas, pintores, mecánicos, herreros y carpinteros. Los primeros buques de hierro se construían casi del mismo modo que los de madera (págs. 18-19): primero se montaba la estructura interior y después se colocaba el forro exterior; las planchas de hierro se remachaban entre sí de manera parecida a los tablones de los de madera (pág. 19). Los buques de hierro o acero se construyen aún al aire libre, como se hizo con los de madera durante siglos, pero desde 1945 la soldadura ha sustituido al remachado; además se emplean extensamente sistemas informatizados para corte y soldadura automáticos y muchos barcos se construyen en secciones que después se ensamblan. Cuando finalmente el buque es lanzado al agua es sólo una envoltura vacía: comienza entonces el «armamento» que lo dejará listo para su vida marítima.

En la botadura se bautiza el barco rompiendo en su proa una botella de champaña.

El buque se construye sobre soportes de madera llamados picaderos para facilitar tanto el acceso a él como su posterior botadura. La figura muestra el lujoso trasatlántico *Aquitania* (págs. 54-57) durante su construcción en 1913. Pocas semanas después entró de popa en el río Clyde.

Astilleros de Denny Brothers, en Dumbarton (Escocia), año 1900. Esta factoría fue una de las primeras dedicadas a la construcción de buques de acero que realizó pruebas en tanques de experiencias.

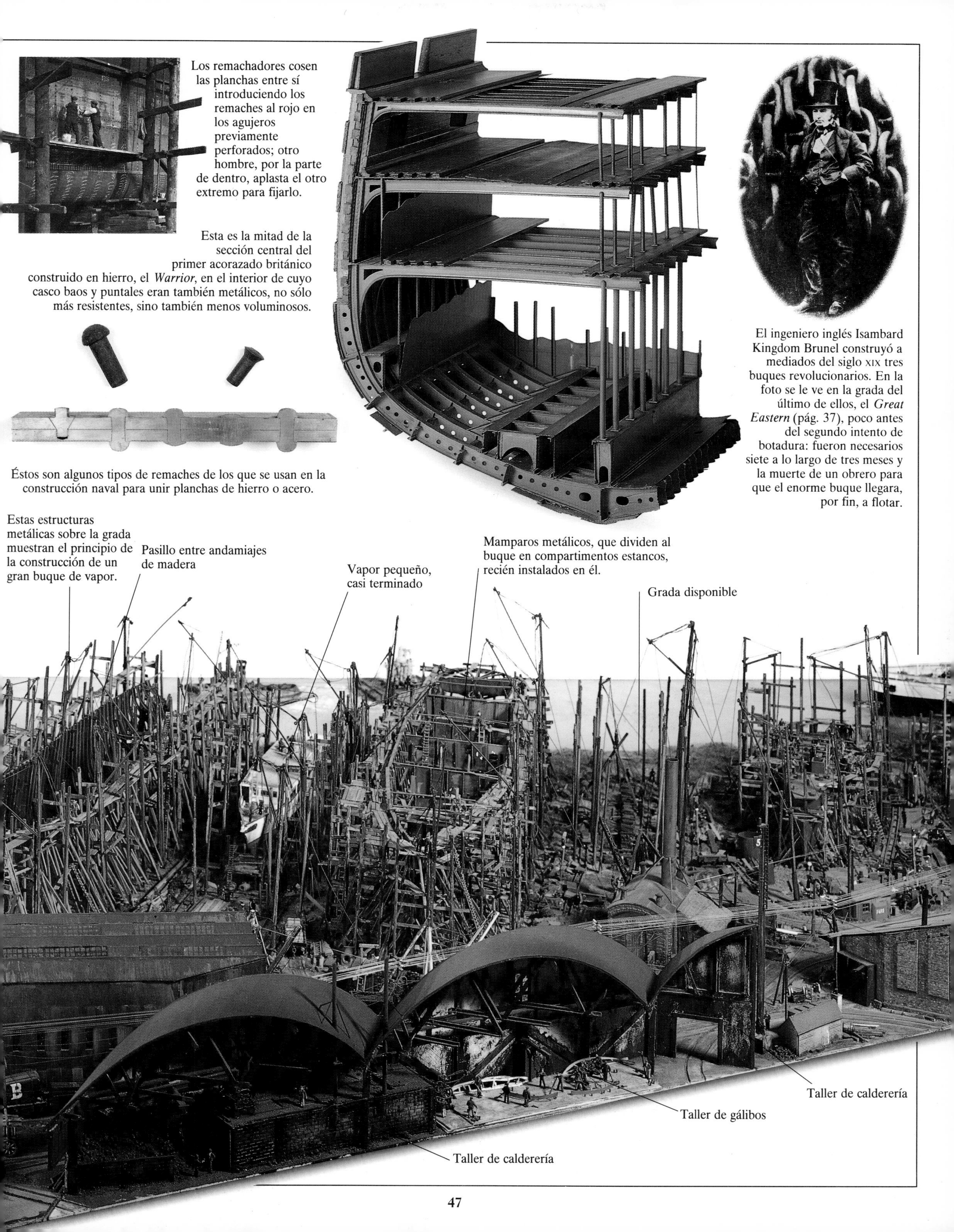

Los remachadores cosen las planchas entre sí introduciendo los remaches al rojo en los agujeros previamente perforados; otro hombre, por la parte de dentro, aplasta el otro extremo para fijarlo.

Esta es la mitad de la sección central del primer acorazado británico construido en hierro, el *Warrior*, en el interior de cuyo casco baos y puntales eran también metálicos, no sólo más resistentes, sino también menos voluminosos.

Éstos son algunos tipos de remaches de los que se usan en la construcción naval para unir planchas de hierro o acero.

El ingeniero inglés Isambard Kingdom Brunel construyó a mediados del siglo XIX tres buques revolucionarios. En la foto se le ve en la grada del último de ellos, el *Great Eastern* (pág. 37), poco antes del segundo intento de botadura: fueron necesarios siete a lo largo de tres meses y la muerte de un obrero para que el enorme buque llegara, por fin, a flotar.

Debido a que los impuestos son más altos en Europa y Norteamérica, el 12 por 100 de los mercantes se matriculan bajo pabellón panameño.

Peregrinos del océano

AUNQUE LOS AVIONES han restado pasajeros a los barcos, no han influido en el transporte de carga y más del 95 por 100 de las mercancías se transporta por mar. A los primeros vapores los llamaron «tramps» (en inglés, errante o peregrino) porque iban de puerto en puerto sin línea fija. Aún los hay hoy día, pero también son muchos los buques especializados en un tipo determinado de carga o para una función precisa. El aumento de los costes del combustible, de las tripulaciones y de la manipulación de mercancías produce una tendencia constante hacia buques más eficaces y económicos.

El mercante japonés *Shin Aitoku Maru,* botado en 1980, fue el primer petrolero provisto de velas controladas por ordenador, consiguiendo reducir el consumo en un 10 por 100 respecto a un buque convencional de iguales características.

El buque noruego *Norman Lady* transporta 87.600 metros cúbicos de gas natural licuado en tanques esféricos especiales. Como el gas ocupa menor volumen en estado líquido, se enfría para ello a −163° C. Los tanques de acero-níquel tienen la resistencia necesaria para soportar la enorme presión y están completamente aislados del resto del barco para que frío tan extremado no provoque rupturas.

Con su proyector montado a proa, el *Springwell* estaba listo para pasar el canal de Suez. Una vez en franquía el proyector se desmontaba y se cerraban las escotillas con encerados de lona. Este barco transportaba carbón de Inglaterra a las estaciones de carboneo de todo el mundo, donde se aprovisionaban otros mercantes, hasta que fue torpedeado y hundido en 1916. Milagrosamente su tripulación se salvó.

Toldilla, la última «isla» de un vapor de pozos

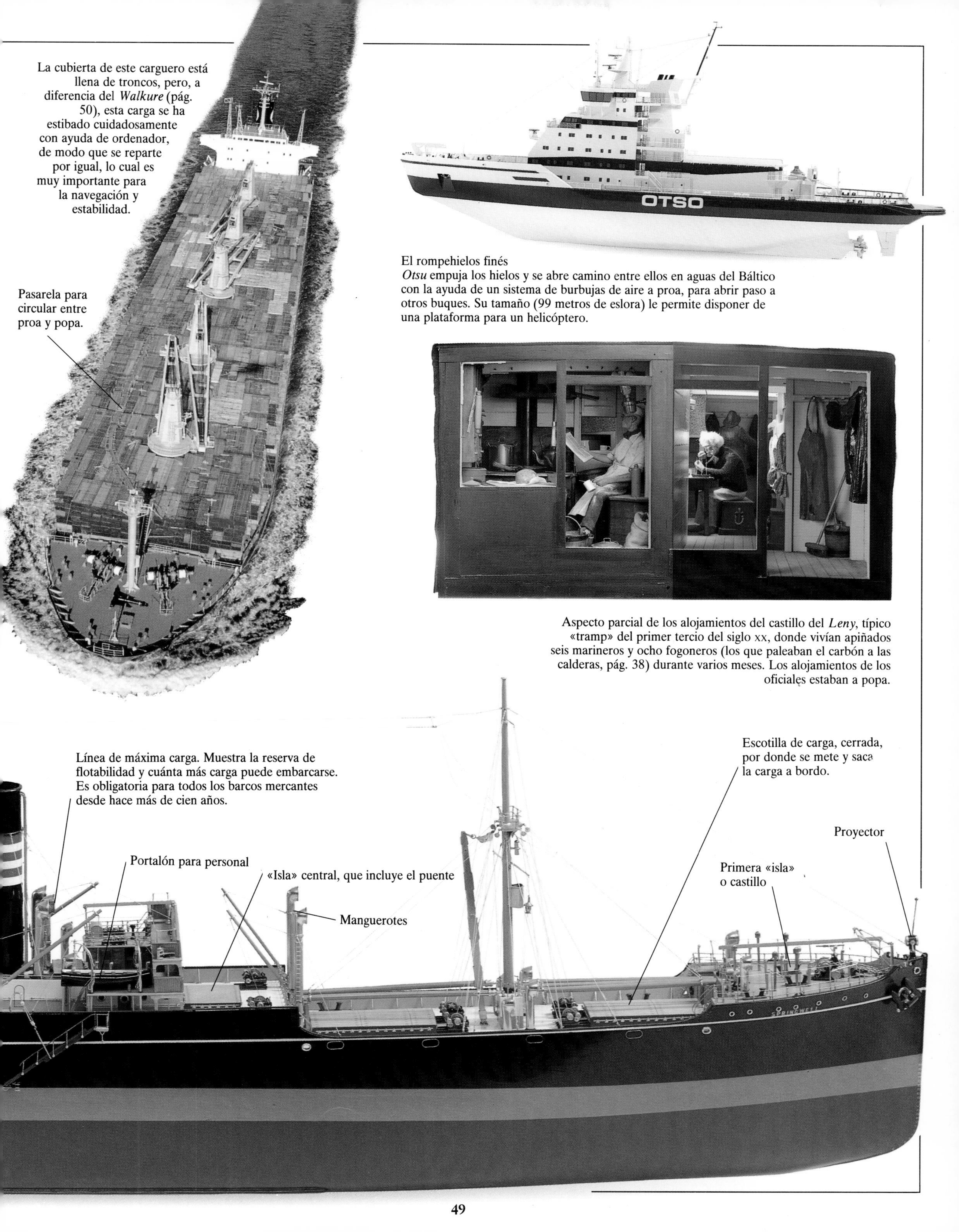

La cubierta de este carguero está llena de troncos, pero, a diferencia del *Walkure* (pág. 50), esta carga se ha estibado cuidadosamente con ayuda de ordenador, de modo que se reparte por igual, lo cual es muy importante para la navegación y estabilidad.

El rompehielos finés *Otsu* empuja los hielos y se abre camino entre ellos en aguas del Báltico con la ayuda de un sistema de burbujas de aire a proa, para abrir paso a otros buques. Su tamaño (99 metros de eslora) le permite disponer de una plataforma para un helicóptero.

Aspecto parcial de los alojamientos del castillo del *Leny*, típico «tramp» del primer tercio del siglo xx, donde vivían apiñados seis marineros y ocho fogoneros (los que paleaban el carbón a las calderas, pág. 38) durante varios meses. Los alojamientos de los oficiales estaban a popa.

En puerto

La mayoría de los mercantes necesita la ayuda de remolcadores para atracar a los muelles donde cargan y descargan por medio de grúas. El panorama de un puerto moderno está dominado por grandes grúas de acero; no hace mucho era numeroso el personal dedicado al manejo y transferencia de carga a vagones o plataformas, pero el creciente uso de contenedores ha reducido drásticamente el empleo de estibadores. Son pocos los puertos que pueden acoger buques, especialmente petroleros, que llegan a alcanzar 350 metros de eslora y cargar 300.000 toneladas de petróleo.

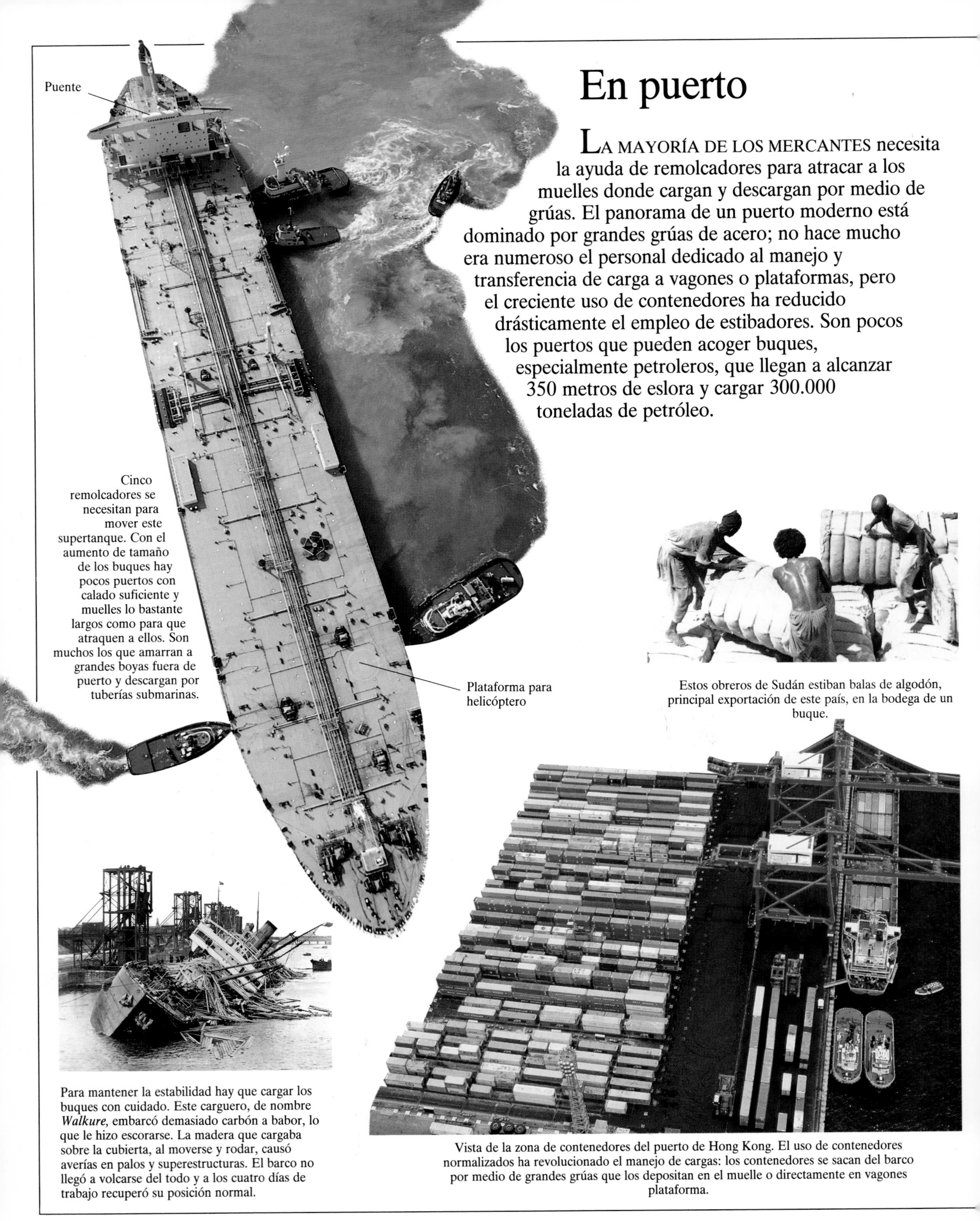

Cinco remolcadores se necesitan para mover este supertanque. Con el aumento de tamaño de los buques hay pocos puertos con calado suficiente y muelles lo bastante largos como para que atraquen a ellos. Son muchos los que amarran a grandes boyas fuera de puerto y descargan por tuberías submarinas.

Estos obreros de Sudán estiban balas de algodón, principal exportación de este país, en la bodega de un buque.

Para mantener la estabilidad hay que cargar los buques con cuidado. Este carguero, de nombre *Walkure,* embarcó demasiado carbón a babor, lo que le hizo escorarse. La madera que cargaba sobre la cubierta, al moverse y rodar, causó averías en palos y superestructuras. El barco no llegó a volcarse del todo y a los cuatro días de trabajo recuperó su posición normal.

Vista de la zona de contenedores del puerto de Hong Kong. El uso de contenedores normalizados ha revolucionado el manejo de cargas: los contenedores se sacan del barco por medio de grandes grúas que los depositan en el muelle o directamente en vagones plataforma.

Para evitar el roce del costado del barco con el muelle o con otros barcos, se usan estas defensas hechas con restos de amarras. También se usan neumáticos viejos.

La mayoría de los puertos cuentan con enlace ferroviario. En este anuncio de los muelles de Gales del Sur, cerca de Cardiff, se ve el desembarque de una carga de madera de un buque de vapor a los vagones de un tren.

Estos ganchos de mano se usan para manipular los fardos que las grúas cargan y descargan de los barcos.

Incluso en los contenedores, las mercancías deben embalarse en paquetes manejables, como estas cajas de té japonés.

Los buques (y sus amarras) han podido crecer mucho, pero el sistema básico para amarrarlos a los norays del muelle es el mismo desde hace siglos.

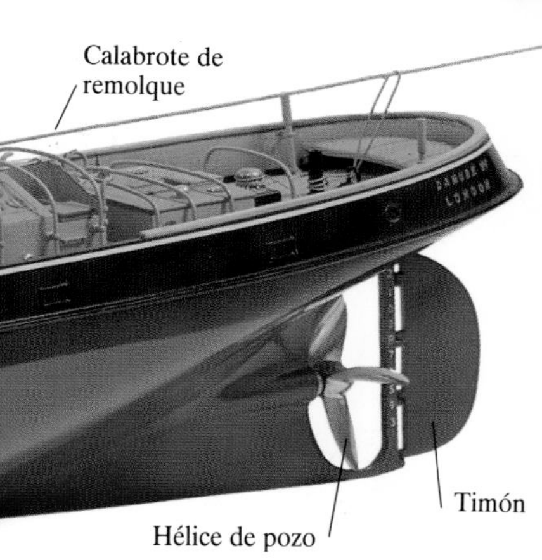

En aguas restringidas, como las de los puertos, los barcos grandes no pueden moverse fácilmente y deben hacerlo ayudados por remolcadores. El *Danube VI* de la figura funcionaba en el Támesis en los años treinta. Los remolcadores modernos no son muy diferentes: tienen un gran gancho a popa del puente y la cubierta de popa despejada. Los trasatlánticos del porte del *Mauretania* (págs. 54-55) tenían que moverse con no menos de seis remolcadores.

La bodega de este barco está llena de pequeños fardos de cacao que los estibadores deben cargar y descargar.

Cuando el barco está parado lo empujan los vientos y las corrientes, y si hay que esperar durante la noche o para tener muelle libre en el puerto se ordena fondear el ancla para sujetarlo al fondo. Las primeras anclas eran simples piedras o cestos llenos de ellas. Las modernas son de muchas formas y tamaños.

Ancla almirantazgo, que usaban los barcos de madera.

Ancla sin cepo, utilizada por muchos buques de hierro.

Ancla de arado para yates

En el puente

En todos los barcos hay instalada una luz roja en la banda de babor (izquierda, mirando a proa) y otra verde en la de estribor (derecha) que en la oscuridad indican a otros barcos su posición y hacia dónde va.

EN EL PUENTE O CASETA de gobierno de este barco contra incendios se albergan todos los instrumentos de navegación, sistemas para su gobierno, el de sus máquinas y el de sus bombas contra incendios, todo ello en un espacio limitado, pero situado, como todos los puentes de mando, con buena visibilidad. Los antiguos veleros se mandaban desde un puesto elevado a popa, el alcázar, pero con la propulsión mecánica se trasladó mucho más a proa de modo que quedara libre de los humos de su chimenea y pudiera verse mejor hacia proa.

Este «telégrafo» de máquinas de un gran vapor se utilizaba para transmitir las órdenes del puente por medio de cables y cadenas a un receptor similar en la sala de máquinas (pág. 38). El buque contra incendios no lo necesita porque sus motores se controlan directamente desde el puente.

Interruptores para transmitir órdenes contra incendios a la sala de máquinas.

Rueda del timón para gobernar el barco

Bola de hierro que contrarresta parte del magnetismo del barco de acero.

Esta rosa de los vientos del siglo XIX perteneció a un buque de la Armada Imperial rusa. En las brújulas terrestres la aguja magnética se mueve sobre la rosa, pero la aguja náutica va pegada a la parte inferior de la rosa de modo que se mueven juntas.

En este muelle, llamado bitácora, va la aguja magnética con su rosa *(izquierda)*. El recipiente de latón (mortero) está montado de modo que cuando el buque se mueve se mantiene horizontal. Encima lleva una lámpara para iluminar de noche la rosa.

Luz verde de estribor, que indica que ésa es la banda que se ve.

Cuando la «cabeza de turco» está en esta posición, el timón está «a la vía» (alineado con el barco) y éste avanza en línea recta.

Palancas de mando y aceleradores de los motores y transmisión que permiten maniobrar el barco en espacios limitados.

Trasatlánticos de lujo

Con su progreso, los buques de vapor pudieron viajar entre los continentes más rápidamente que cualquier velero y se construyeron especialmente para llevar gran número de pasajeros por todos los océanos, pero sobre todo en el Atlántico, y por esta razón se les llamó trasatlánticos. Su época dorada fueron las décadas de 1920 y 1930; para los pasajeros más ricos que viajaban en primera clase rivalizaban con los hoteles más lujosos de tierra. Las compañías navieras establecieron una fuerte competencia tratando de cruzar el Atlántico en el menor tiempo: el buque más rápido ganaría la codiciada «cinta» o gallardete azul. La que tuvo más éxito fue la Cunard, con varios vencedores en esta carrera. Pero en la década de los cincuenta los transatlánticos ya no podían competir ni en precio ni en velocidad con los aviones a reacción, y uno a uno, todos estos grandes buques fueron siendo retirados y enviados al desguace.

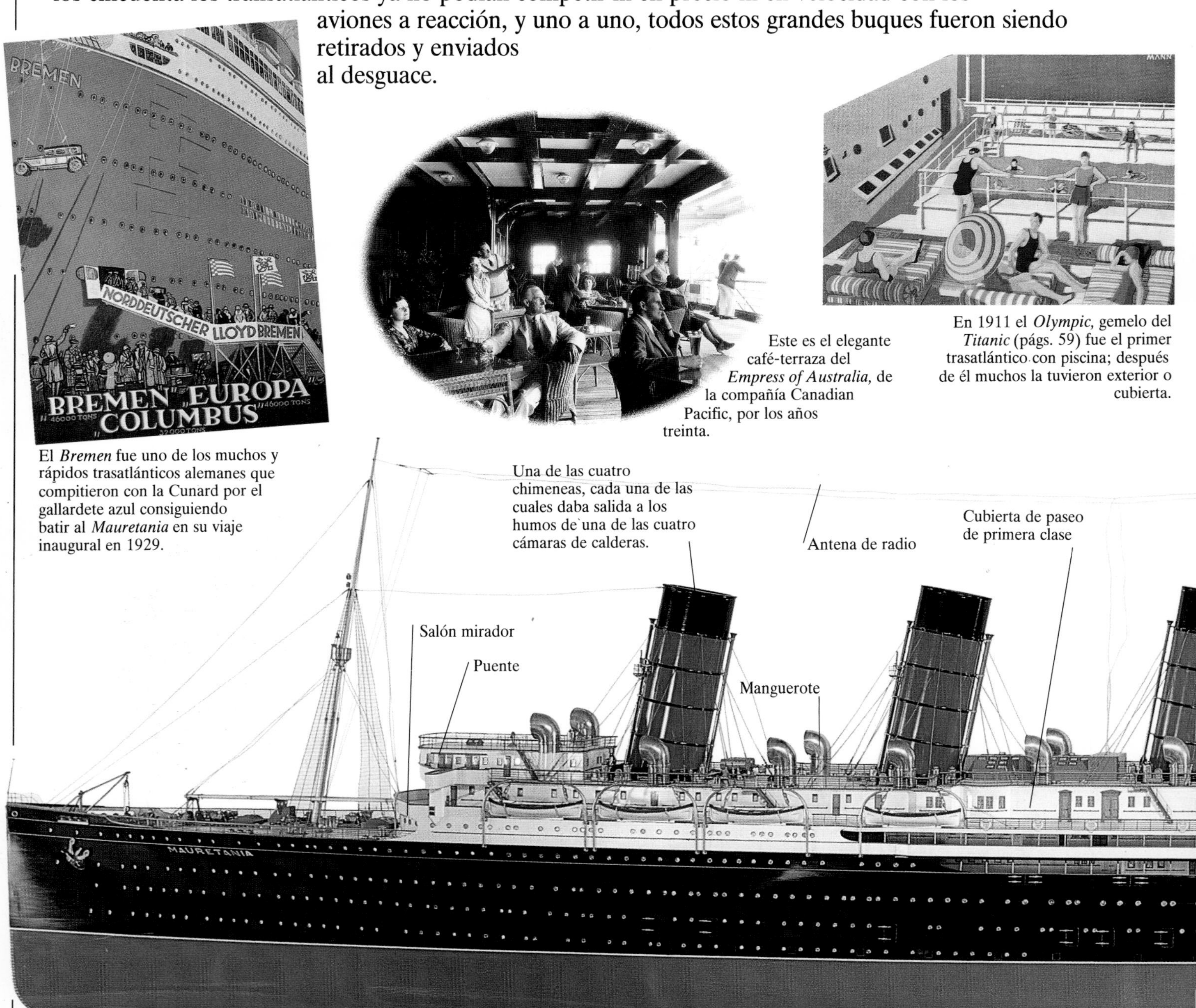

El *Bremen* fue uno de los muchos y rápidos trasatlánticos alemanes que compitieron con la Cunard por el gallardete azul consiguiendo batir al *Mauretania* en su viaje inaugural en 1929.

Este es el elegante café-terraza del *Empress of Australia*, de la compañía Canadian Pacific, por los años treinta.

En 1911 el *Olympic*, gemelo del *Titanic* (págs. 59) fue el primer trasatlántico con piscina; después de él muchos la tuvieron exterior o cubierta.

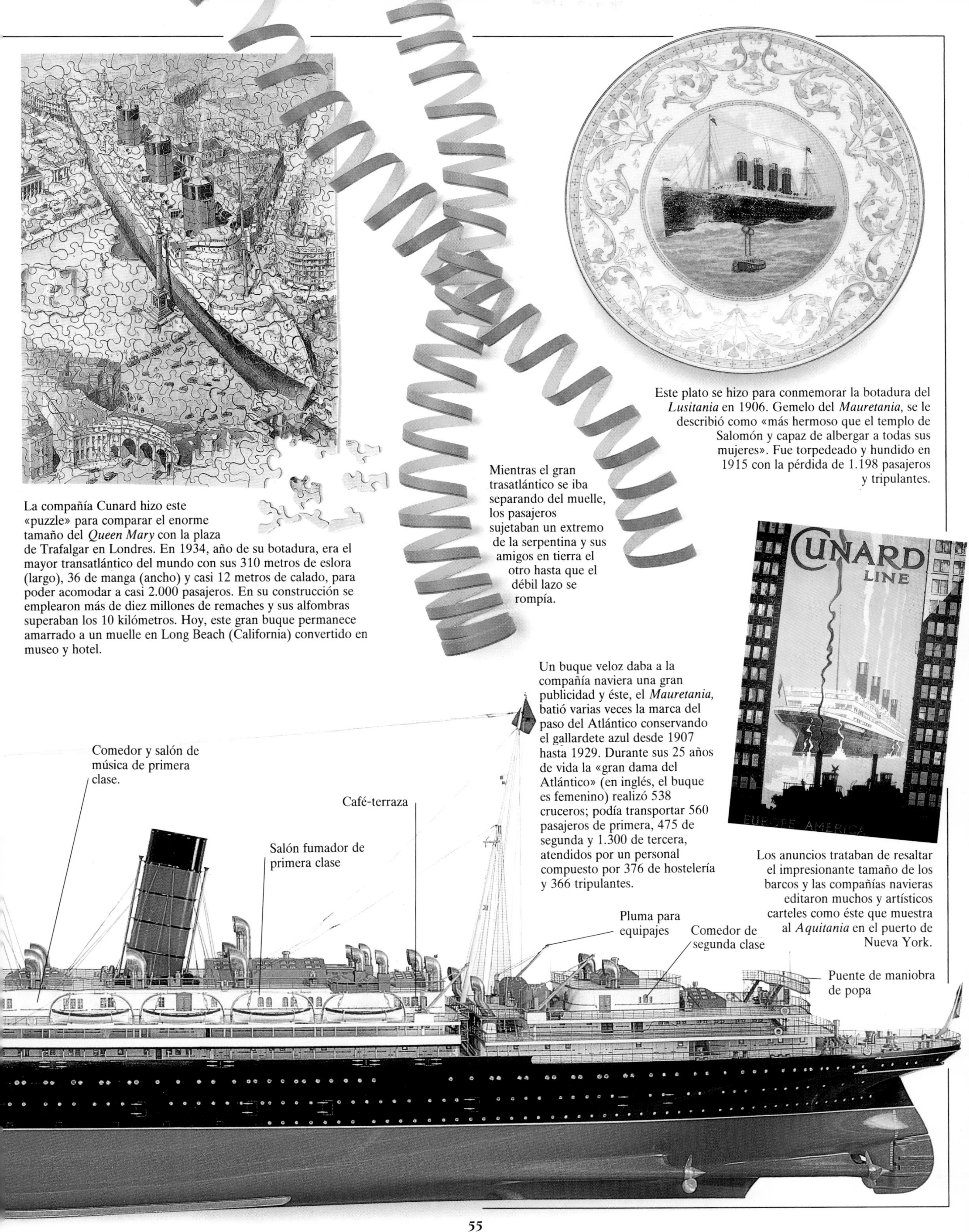

La compañía Cunard hizo este «puzzle» para comparar el enorme tamaño del *Queen Mary* con la plaza de Trafalgar en Londres. En 1934, año de su botadura, era el mayor transatlántico del mundo con sus 310 metros de eslora (largo), 36 de manga (ancho) y casi 12 metros de calado, para poder acomodar a casi 2.000 pasajeros. En su construcción se emplearon más de diez millones de remaches y sus alfombras superaban los 10 kilómetros. Hoy, este gran buque permanece amarrado a un muelle en Long Beach (California) convertido en museo y hotel.

Mientras el gran trasatlántico se iba separando del muelle, los pasajeros sujetaban un extremo de la serpentina y sus amigos en tierra el otro hasta que el débil lazo se rompía.

Este plato se hizo para conmemorar la botadura del *Lusitania* en 1906. Gemelo del *Mauretania,* se le describió como «más hermoso que el templo de Salomón y capaz de albergar a todas sus mujeres». Fue torpedeado y hundido en 1915 con la pérdida de 1.198 pasajeros y tripulantes.

Un buque veloz daba a la compañía naviera una gran publicidad y éste, el *Mauretania,* batió varias veces la marca del paso del Atlántico conservando el gallardete azul desde 1907 hasta 1929. Durante sus 25 años de vida la «gran dama del Atlántico» (en inglés, el buque es femenino) realizó 538 cruceros; podía transportar 560 pasajeros de primera, 475 de segunda y 1.300 de tercera, atendidos por un personal compuesto por 376 de hostelería y 366 tripulantes.

Los anuncios trataban de resaltar el impresionante tamaño de los barcos y las compañías navieras editaron muchos y artísticos carteles como éste que muestra al *Aquitania* en el puerto de Nueva York.

Etiqueta de la compañía Nippon Yusen Kaisha Line, que llevó muchos emigrantes japoneses a Hawai entre 1885 y 1860, en que dejó de existir.

El trasatlántico italiano *Michelangelo* lleva botes salvavidas para todos sus pasajeros y tripulantes, dos mil personas en total, igual que los demás buques modernos de pasaje. Desde el desastre del *Titanic* (pág. 59) se introdujeron normas de seguridad muy rigurosas y todos los pasajeros deben realizar ejercicios de botes salvavidas.

La compañía OSK, fundada en la década de 1880, se llama hoy Mitsui-OSK. Sólo la P&O es mayor que ella.

En una escena de la película *Los caballeros las prefieren rubias* (1953), la actriz Marilyn Monroe se asoma a un portillo. Al ser redondos, debilitaban el casco mucho menos que si fueran ventanas rectangulares.

Este menú se imprimió para la compañía Peninsular and Orient (P&O) especializada en el tráfico con Extremo Oriente.

Entre las características de este camarote doble de primera clase del *Empress of Canada* están el revestimiento de madera de arce y dos portillos. Este buque de la Canadian Pacific fue botado en 1960 y puede llevar 200 pasajeros en primera clase y 856 en clase turista.

Jarra de agua caliente

Cafetera

Tetera

Este juego de té y café se utilizaba en los buques de la Orient Line que viajaban a Australia en los años sesenta.

Sobrevive actualmente la navegación de lujo en buques como el *Crown Princess,* botado en 1989, pero hoy se utilizan para cruceros de vacaciones, no para viajar.

El *Statendam,* construido en 1929, fue el buque insignia de la Holland-America Line. La fama de esta compañía por su limpieza le ganó el sobrenombre de «la flota impecable».

Desde su erección en 1886, la estatua de la Libertad ha dado su bienvenida a todos los pasajeros que llegaban por mar a Nueva York.

El *Mauretania* saludado desde un velero. Para cruzar el Atlántico a vela se invertían semanas, pero el trasatlántico podía hacerlo en cinco días.

La cruz de San Jorge, enseña británica.

Velas mayores y gavias

Vela latina de mesana

El 11 de noviembre de 1620 llegaba a América, tras 67 días de navegación desde su salida de Inglaterra, un barco de apenas 40 metros de eslora, el *Mayflower,* a bordo del cual viajaban 102 miembros de la secta llamada de los puritanos huyendo de la persecución en su país; fundaron la primera colonia permanente en lo que hoy son los Estados Unidos.

HACIA UNA NUEVA VIDA

Los alojamientos más baratos en los grandes trastlánticos solían estar ocupados principalmente por emigrantes que dejaban su patria para rehacer su vida en los Estados Unidos, Canadá, Australia o Nueva Zelanda. La emigración a Norteamérica empezó, empero, mucho antes, en el siglo XVII. Muchos de los primeros colonos salieron de Europa huyendo de persecuciones políticas o religiosas, igual que los emigrantes más recientes procedentes de Rusia y Europa Oriental. Otros, especialmente irlandeses e italianos, huían del hambre y la pobreza, y los había también que iban al Nuevo Mundo porque allí tenían mejores oportunidades que en el viejo. A menor escala, la emigración continúa actualmente, en gran parte por las mismas razones.

En el cortometraje titulado «El emigrante», Charlie Chaplin desempeñaba el papel de un emigrante que embarcaba para América. El propio actor había abandonado, en la vida real, la pobreza de un Londres miserable para hacer carrera y fortuna en los Estados Unidos.

Los acontecimientos políticos obligan a veces a la gente a correr grandes riesgos para salir de su país. Estos refugiados vietnamitas han pagado grandes cantidades de dinero a cambio de un peligroso viaje en una pequeña embarcación en la que, si tienen suerte, podrán llegar a Hong Kong.

Italianos que huían de la guerra en el norte de su país, en 1901, esperando a embarcar para América en el puerto de Génova, con sus pobres enseres.

Muchos judíos europeos huyeron a Palestina a partir de 1945. Pero los que embarcaron en un barco atestado de gente fueron obligados a regresar a Alemania por las autoridades británicas, lo que ocasionó un gran revuelo internacional y con este motivo se hizo una película en 1961 con el nombre de *Éxodo,* que era el que habían puesto a su barco en recuerdo del Éxodo que relata la Biblia.

S.O.S. (Save Our Souls!) (¡Auxilio!)

La historia de Robinson Crusoe está inspirada en el caso real de Alexander Selkirk, que fue abandonado en una isla del Pacífico en 1704.

EN EL CÓDIGO MORSE, esta señal se traduce en tres puntos, tres rayas, tres puntos. Se escogió por ser fácil de recordar y transmitir, pero en radiotelefonía se emplea la palabra MAYDAY. Todas las naciones marítimas tienen servicios de salvamento y rescate y mantienen faros para advertir de los peligros a los navegantes, mientras éstos, por su parte, adoptan las precauciones oportunas. Los buques cuentan con radios, radar, sondadores y bengalas de emergencia y desde el desastre del *Titanic* están obligados a llevar botes y chalecos salvavidas para todos. Pero la mar no se ha dominado del todo y su fondo está sembrado de restos de naufragios; cada año desaparecen barcos, algunos sin dejar rastro, y como son cada vez mayores y transportan cargas más peligrosas, las catástrofes pueden revestir mayores proporciones.

Las sirenas se consideraban de mal agüero: el marinero que viera una estaba seguro de que su barco naufragaría pronto. Tal vez lo que viera fuese en realidad un mamífero marino llamado dugón.

En las concurridas playas australianas patrullan equipos salvavidas siempre a punto para rescatar nadadores o «surfers» en peligro. Sus botes de remos están especialmente diseñados para navegar sobre las grandes rompientes.

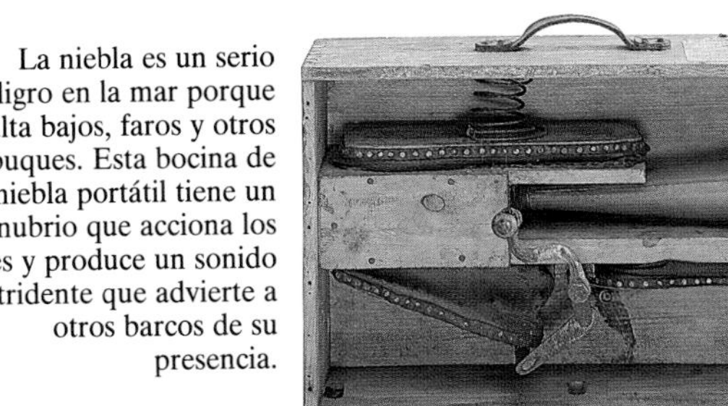

La niebla es un serio peligro en la mar porque oculta bajos, faros y otros buques. Esta bocina de niebla portátil tiene un manubrio que acciona los fuelles y produce un sonido estridente que advierte a otros barcos de su presencia.

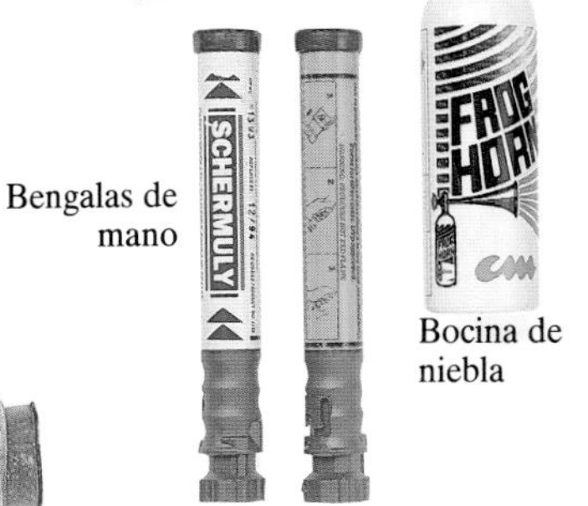

Bengalas de mano

Bocina de niebla

Esta bocina de niebla utiliza una botella de aire comprimido para producir un penetrante sonido; además de denunciar la presencia del buque, puede usarse para emitir mensajes sencillos. Las bengalas son señales de socorro para orientar a los salvadores.

En noviembre de 1872, un día después de su salida de Nueva York, el *Mary Celeste* fue encontrado a la deriva en el Atlántico sin nadie a bordo. Parecía como si hubiese sido abandonado precipitadamente y su bote había desaparecido. Se hicieron toda clase de conjeturas: que hubo una rebelión de la tripulación contra el capitán, o que abandonaron el buque por miedo a la explosión de su carga de alcohol, pero nunca se supo lo ocurrido a las diez personas que había a bordo, entre ellas una niña de dos años.

Los tripulantes de los salvavidas arriesgan su vida para salvar las de otros, pero como cuando se les llama suele ser en las situaciones de mayor peligro, también ellos pueden ser víctimas del desastre.

Los buques faro se fondean en parajes peligrosos donde no puede construirse un faro, como este del mar del Norte, en el peligroso banco Kentish Knock, a 17 millas (32 km) de la costa de Inglaterra. A su bordo viven siete personas y su linterna, a 12 metros sobre el mar, puede verse a 20 millas (38 km) de distancia. Es un pontón, es decir, que no tiene máquina de propulsión y tiene que ser remolcado.

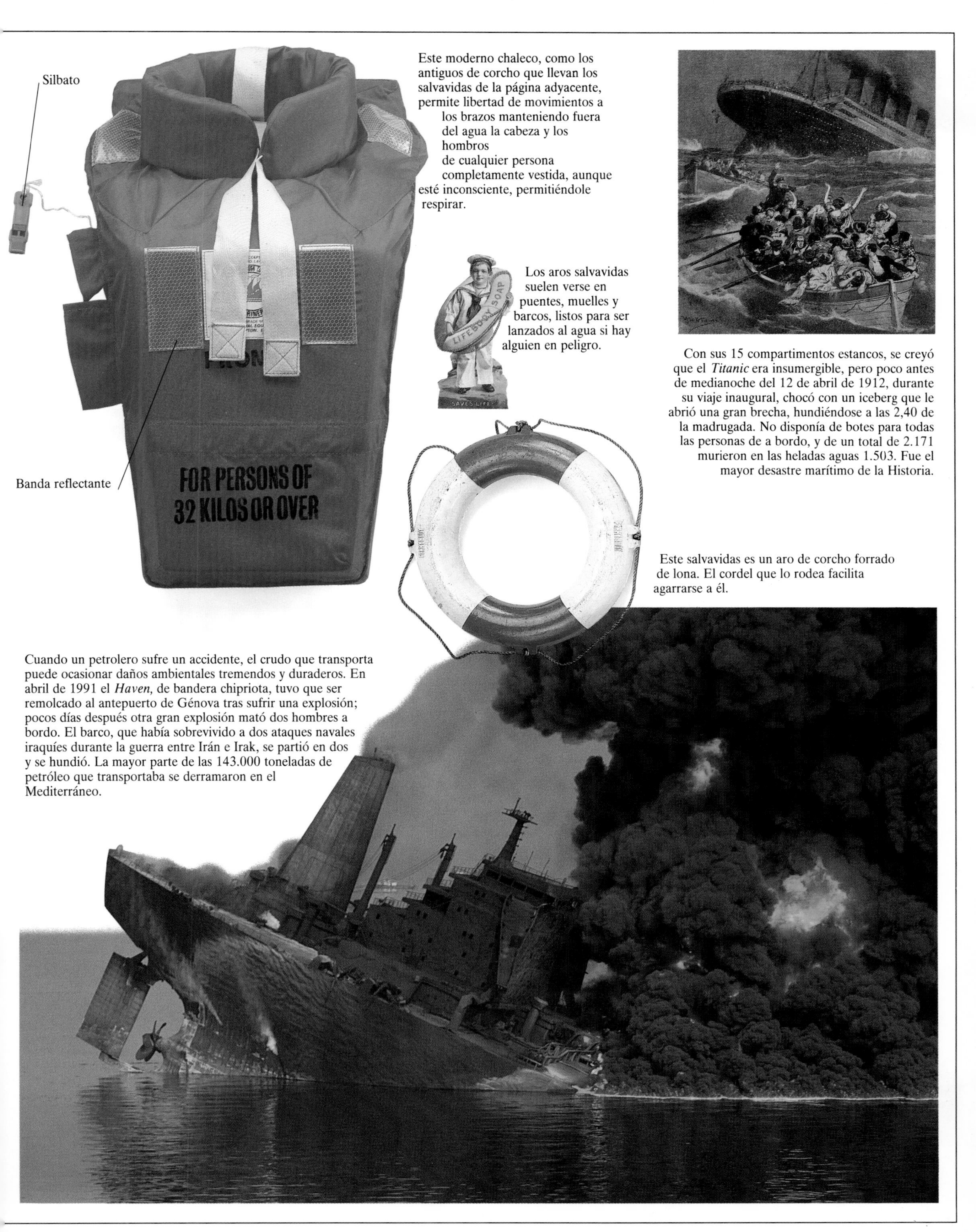

Este moderno chaleco, como los antiguos de corcho que llevan los salvavidas de la página adyacente, permite libertad de movimientos a los brazos manteniendo fuera del agua la cabeza y los hombros de cualquier persona completamente vestida, aunque esté inconsciente, permitiéndole respirar.

Los aros salvavidas suelen verse en puentes, muelles y barcos, listos para ser lanzados al agua si hay alguien en peligro.

Con sus 15 compartimentos estancos, se creyó que el *Titanic* era insumergible, pero poco antes de medianoche del 12 de abril de 1912, durante su viaje inaugural, chocó con un iceberg que le abrió una gran brecha, hundiéndose a las 2,40 de la madrugada. No disponía de botes para todas las personas de a bordo, y de un total de 2.171 murieron en las heladas aguas 1.503. Fue el mayor desastre marítimo de la Historia.

Este salvavidas es un aro de corcho forrado de lona. El cordel que lo rodea facilita agarrarse a él.

Cuando un petrolero sufre un accidente, el crudo que transporta puede ocasionar daños ambientales tremendos y duraderos. En abril de 1991 el *Haven,* de bandera chipriota, tuvo que ser remolcado al antepuerto de Génova tras sufrir una explosión; pocos días después otra gran explosión mató dos hombres a bordo. El barco, que había sobrevivido a dos ataques navales iraquíes durante la guerra entre Irán e Irak, se partió en dos y se hundió. La mayor parte de las 143.000 toneladas de petróleo que transportaba se derramaron en el Mediterráneo.

Yates de crucero

En 1983 esta quilla revolucionaria, mantenida en secreto, contribuyó a que el *Australia II* arrebatara la Copa del América a los norteamericanos por primera vez.

En 1851 el *América,* del New York Yacht Club, venció a los quince mejores yates ingleses en una regata en torno a la isla de Wight, al sur de Inglaterra. El club vencedor retó a los regatistas de todo el mundo ofreciendo la copa que había ganado a cualquier yate capaz de batir al *América,* y así nació la regata de cruceros más famosa: la Copa del América. Ya había yates doscientos años antes: el primer club se fundó en 1720 en Cork (Irlanda); al principio era un deporte para los muy ricos y aún hoy los yates que compiten en la Copa del América y en la regata de vuelta al mundo Whitbread cuestan millones de dólares, al tiempo que la industria invierte aún más en la investigación para lograr veleros más rápidos y eficaces, probando nuevos materiales y mejorando diseños. Esto es rentable porque hoy puede disfrutar del deporte de la vela mucha más gente: hay embarcaciones relativamente baratas, muchas de ellas compiten entre sí mientras que con otras sus propietarios salen a navegar por el simple gusto de hacerlo.

El yate suizo *Merit,* de 25 metros, llegó en tercer lugar en la regata de la vuelta al mundo Whitbread de 1989-90. Sus 15 tripulantes realizaron la agotadora circunnavegación en 69 días de mar.

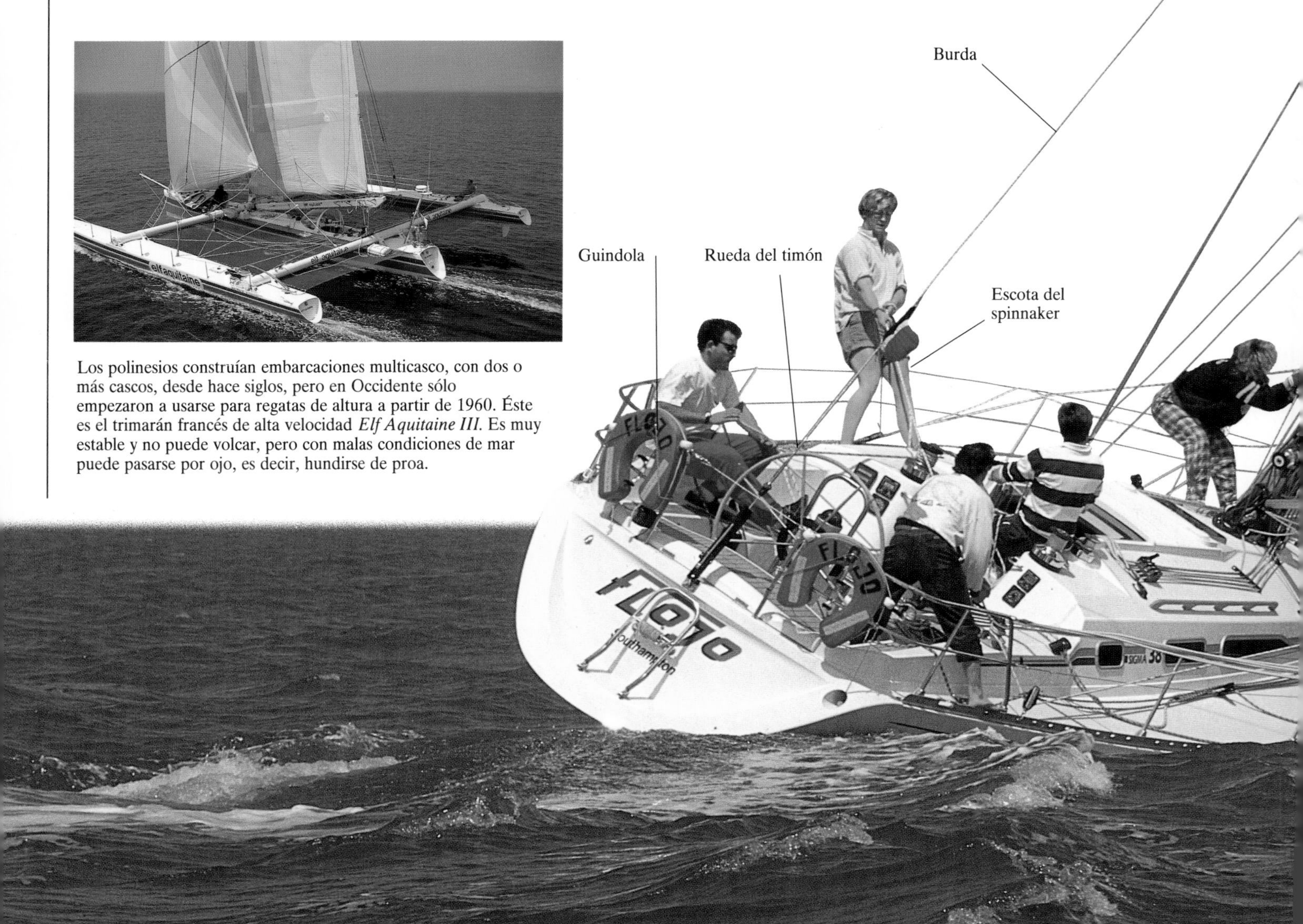

Los polinesios construían embarcaciones multicasco, con dos o más cascos, desde hace siglos, pero en Occidente sólo empezaron a usarse para regatas de altura a partir de 1960. Éste es el trimarán francés de alta velocidad *Elf Aquitaine III.* Es muy estable y no puede volcar, pero con malas condiciones de mar puede pasarse por ojo, es decir, hundirse de proa.

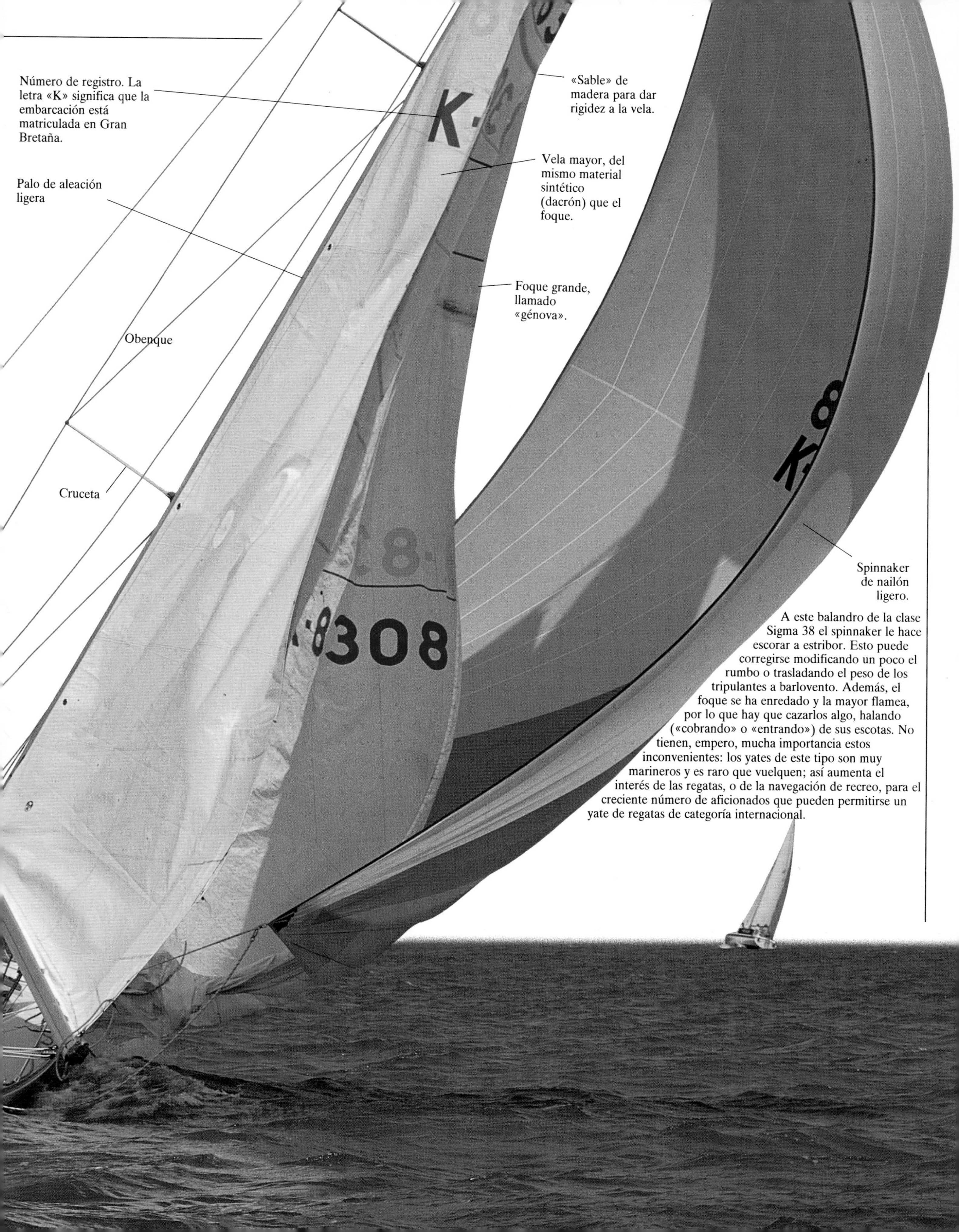

A este balandro de la clase Sigma 38 el spinnaker le hace escorar a estribor. Esto puede corregirse modificando un poco el rumbo o trasladando el peso de los tripulantes a barlovento. Además, el foque se ha enredado y la mayor flamea, por lo que hay que cazarlos algo, halando («cobrando» o «entrando») de sus escotas. No tienen, empero, mucha importancia estos inconvenientes: los yates de este tipo son muy marineros y es raro que vuelquen; así aumenta el interés de las regatas, o de la navegación de recreo, para el creciente número de aficionados que pueden permitirse un yate de regatas de categoría internacional.

Aprender a navegar

Se puede aprender a navegar a vela en un fin de semana, como también pasarse el resto de la vida perfeccionando esta técnica. Hay innumerables clubs de vela en la costa, en lagos y en embalses. La vela es cada vez más propular, tanto como deporte al que dedicarse como por pasatiempo, pues no sólo ofrece el aliciente de la competición sino que también es un buen ejercicio al aire libre. Para ser un buen regatista hay que tener buena disposición; no es un deporte peligroso si se cumplen sencillas normas de seguridad y se cuenta con el equipo adecuado. Como en cualquier otro deporte, lo mejor para empezar es aprender sus fundamentos en un curso: hay muchos clubs con escuelas de vela y cientos de tipos de balandros pequeños. Muchos empiezan en la clase Optimist para ir pasando gradualmente a otros tipos mayores y más veloces. Las pequeñas embarcaciones sin cubierta suelen utilizarse para paseo; solían ser de madera, pero actualmente se hacen de plástico moldeado por lo que son duraderas y no necesitan mucho mantenimiento, y aunque pueden llegar a ser algo caras, muchos clubs las alquilan.

Incluso en días calurosos es posible enfriarse bastante al mojarse cuando se practica la vela, por lo que es muy importante vestir el atuendo adecuado.

La mayoría de los clubs tienen por obligatorio el uso de chalecos flotantes, cómodos y calientes, como éste, aunque no proporcionan tanta flotabilidad como un chaleco salvavidas (pág. 59).

Con un buen equipo es posible conservarse seco y caliente. Los colores vivos no sólo son más vistosos, sino que además facilitan el rescate de los tripulantes si la embarcación volcara.

Estos son balandros de la clase olímpica 470, la más popular. Esta clase es de origen francés, tiene 4,70 metros de eslora y se incluyó en la clasificación olímpica para atraer a jóvenes que no tuvieran a su alcance embarcaciones de mayor porte.

El dart es un catamarán, o embarcación de dos cascos (pág. 60). Debido a su gran manga aguantan mucha vela, son muy veloces y navegar en ellos resulta muy estimulante. No tienen orza ni botavara, lo que reduce su coste.

Al igual que la ropa de agua, estas botas mantienen una delgada capa de agua entre su forro interior y el exterior. El calor natural de los pies la calienta, conservando así la temperatura.

Para manos poco avezadas a trabajar con cabos, los guantes sirven tanto de protección como para combatir el frío. Estos guantes no tienen dedos completos para facilitar al usuario hacer nudos. Se fabrican de material sintético tejido con piel.

La figura muestra una versión en plástico del balandro de iniciación más extendido en el mundo, el Optimist, diseñado en 1948 en los Estados Unidos. Su popularidad se debió, al principio, a que podía reducirse a un paquete plegable y guardarse en casa. Su forma de cajón hace que sea muy fácil de construir y su aparejo y pertrechos son muy sencillos. Es una embarcación muy adecuada para la iniciación en la vela de niños desde unos siete años.

Índice

A

B

C

CH

D

E

F

G

H

J

K

L

M

N

O

P

Q

R

S

T

V

W

Y

Iconografía

s = superior c = centro i = inferior
iz = izquierda d = derecha

Todos los deportes: 63; Vandystadt: 9ciz,11siz; Ardea/Hans Dossenbach: 38ciz; Becken of Cowes: 63cd; Biblioteca Marciana, Venecia: 17cds; Bicliothèque Nationale: 13c; British Library: 12sd; Atención de los administradores del British Museum: 6siz, 20i; British Waterways Archives: 32c; J. Allan Cash: 7sd, 13iiz, 32ciz; Christel Clear: 60-61; Cunard Postcards copyritht 1990 Marine Art Posters, Hull: 55cd, 57sd; Michael Dent: 32siz; E.T. Archive: 7id, 15ciz, 29csd, 57ci, 59sd.; Editions Albert Rene/Goscinny-Uderzo: 21ciz; Mary Evans Picture Library: 7ciz, 14siz, 44id, 45id, 45id, 58siz, 58ciz; Werner Foreman Archive: 30cizi, 31 ciz; Giraudon: 9siz; Susan Griggs: 10ciz, 10iiz; Sonia Halliday: 16iiz; Robert Harding:8id, 9sd, 25cd, 43cd; Michael Holford: 11cdi, 17siz, 17id, 20sd, 35iiz; Hulton Picture Co.: 36id; Hutchinson Library: 25siz, 43ciz; Image bank/Jay Masiel: 40ciz/A. Boccaccio 5lsd/G. Heisler 51iiz; Eric Kentley/National Maritime Museum: 10id, 16cd; Kobal Collection: 34sd, 56sd, 57cd, 57id;Magnum/Bruno Barbey: 8siz/Burt Glinn 21siz, 32cd/Ian Berry 57iiz; Mansell Collection: 24siz, 34cd, 37ci, 47siz, 47sd; Ministry of Tourism; Old Fort William: 13siz, 13sc; National Archives of Canada (Hopkins c-2771): 12i; National Gallery of Canada: 13 id; National Maritime Museum: 11cds, 16sd, 26id, 27cd, 28iiz, 28sd, 28c, 28id, 29cds, 29id, 33c, 38iiz, 39sd, 41ciz, 41i, 42i, 42siz, 43siz, 45sd, 46sd, 50iiz, 54c, 55siz, 56siz; Robert Opie Collection: 54siz, 54ciz, 54cd, 57cs, 59c; Otago Museum, Nueva Zelanda: 40siz; Pitchall Picture Library/Cliff Webb: 8ciz, 22-23, 60siz, 60ciz, 60sd, 62siz; Pictor International: 34ci; Popperphoto: 9iiz, Princess Cruises: 56id; Ronan Picture Library: 27id, 36siz; Science Museum, Londres, 21cd; Select Photos: 59id.; Smithsonian Institution: 13sd. Archivos: Universidad de Liverpool: 37siz; Welsh Industrial and Maritime Museum, Cardiff: 51siz; Zefa: 6c, 15cd, 42sd, 43sd, 49siz, 50siz, 50siz, 50id, 56sd, 58ciz.

Han colaborado

David Spence, Caroline Roberts, Keith Percival y Barry Cash, del National Maritime Museum, Greenwich;
David Goddard, Peter Crutwell, Christi Graham y Nick Nicholls, del British Museum, Londres;
Nick Lepine, del Science Museum, Londres;
Tony O'Connor;
Richard Boots;
Paulene Lashmare, de la Royal Yachting Association;
Colin Merrett, de Racing Sailboats;
Christian Sévigny, Liz Sephton, Sarah Cowley y Cheryl Telfer;
Claire Gillard y Helena Spiteri;
Céline Carez.